De Abrahán a Maimónides

II
PARA ENTENDER A LOS JUDIOS

JESUS PELAEZ DEL ROSAL (ed.)

De Abrahán a Maimónides
II
PARA ENTENDER A LOS JUDIOS

por
Juan Mateos, Florentino García Martínez,
Julio C. Trebolle Barrera, Miguel Pérez Fernández,
Carlos del Valle Rodríguez, Jesús Peláez del Rosal

bajo la dirección de
JESUS PELAEZ DEL ROSAL

EDICIONES EL ALMENDRO

© Ediciones El Almendro
El Almendro, 10
Teléfono (957) 27 46 92
14006 - Córdoba

Maqueta y cubierta: Equipo Gráfico de Ediciones
El Almendro
Cubierta: Contrato en hebreo de la revuelta de Bar Kokhba,
hallado en la Gruta de las Cartas, Museo de Israel.

Impreso en España
Imprenta KADMOS, S. Coop. L.
Compañía, 5 - Teléfono 21 98 13 - 37008 - Salamanca

I.S.B.N. 84-86077-27-3
Depósito Legal: S. 395 - 1984

PRESENTACION

El CURSO DE CULTURA HEBREA tiene por finalidad dar a conocer el papel desarrollado por los judíos medievales, nacidos o afincados en Córdoba y provincia, en el campo de las ciencias, las letras, la política o la religión.

La importante presencia judía en nuestra ciudad y provincia, su aportación cultural y su trascendencia histórica son aún desconocidas para la mayoría de los cordobeses. La abundante investigación histórica en torno a los temas de la Cultura Hispano-Hebrea está confinada en universidades, congresos o seminarios de cuyos resultados casi nada trasciende al pueblo. El CURSO DE CULTURA HEBREA pretende llenar esta laguna.

Pero como entre esta cultura y la nuestra han mediado siglos de incomprensión y silencio, hemos considerado importante abordar los temas básicos del mundo hebreo desde sus orígenes. En un primer curso (año 1983) hemos ofrecido una panorámica de la cultura hebrea bíblica. El segundo curso, cuyo ciclo de conferencias reúne este libro, quiere mostrar el modo de vida y organización de los judíos en Palestina y fuera de ella, de los siglos III a.C. al II d.C. En el tercer curso (año 1985) llegaremos a la meta anhelada, abordando el tema de la cultura hebrea medieval, prestando especial atención a los judíos de Al-Andalus y, más en concreto, a la Córdoba medieval y sus relaciones con el judaísmo.

Coincidiendo con el tercer CURSO DE CULTURA HEBREA, la Excelentísima Diputación convocará a instituciones locales, nacionales y extranjeras, para la celebración en nuestra ciudad del 850 aniversario del nacimiento de Maimónides, judío cordobés, nacido el 14 de Nisán

7

(30 de marzo) de 1135. Para ello se prepara un Simposio Internacional en torno a tan destacada personalidad, de alcance universal.

La introducción a este libro, número 2 de la colección «Estudios de Cultura Hebrea», de Ediciones El Almendro, quiere dar razón de las tres etapas de un proyecto surgido de la nada, acogido por la Facultad de Filosofía y Letras, y potenciado e impulsado de modo eficaz por el Area de Cultura de la Excma. Diputación Provincial de Córdoba, que ha encontrado su más decidido entusiasta en la persona de su Presidente, don Manuel Melero. A él y a su equipo de colaboradores va, desde estas páginas, nuestro más sincero agradecimiento.

Jesus Pelaez del Rosal
Director del Curso de
Cultura Hebrea

Introducción

DE ABRAHAN A MAIMONIDES

por Jesus Pelaez del Rosal *

PRIMERA ETAPA: JUDAISMO BIBLICO

Para comenzar conviene hacer memoria del camino recorrido en el primer Curso de Cultura Hebrea que tuvo por objeto estudiar los orígenes del pueblo hebreo, la entrada en acción de los protagonistas de su historia y el nacimiento de sus instituciones y fiestas. En once conferencias ofrecimos una panorámica del judaísmo bíblico: la tierra, los orígenes del pueblo, los patriarcas, los profetas, los reyes, el sacerdocio, el culto, la familia, las fiestas, el sábado y la sinagoga.todo esto ha quedado recogido y publicado en un libro, primer número de la Colección «Estudios de Cultura Hebrea», de Ediciones El Almendro (Córdoba 1984), con el título *De Abrahán a Maimónides*. I: LOS ORIGENES DEL PUEBLO HEBREO.

No vamos a repetir ahora lo que allí se dice, pero sí hacer una síntesis para llegar a una definición del pueblo hebreo, sacada del significado esencial de sus principales protagonistas. Comenzamos por Abrahán.

Abrahán o la promesa

La historia del pueblo hebreo comienza en Abrahán, personaje que a grandes rasgos puede describirse así: hijo de Téraj, descendiente leja-

* Doctor en Filología Bíblica Trilingüe y Profesor de la Facultad de Filosofía y Letras (Sección de Filología). Universidad de Córdoba.

no de Sem (hijo de Noé); de profesión, pastor de ganado menor y jefe de un clan o tribu de pastores; casado con Saray (=princesa), y sin hijos; su familia era natural de Ur de Caldea (Asiria, hoy Iraq); Abrahán era vecino de Jarán (Gn 11, 30-32). Cuando aparece en escena, tiene la hegemonía en el mundo político Babilonia. Abrahán es contemporáneo de Hammurabi, famoso rey por su código legal, uno de los más antiguos códigos de la tierra. Vivió hacia el siglo xix a.C.

A la muerte de su padre Téraj, Dios se dirigió a Abrahán con estas palabras: *Sal de tu tierra nativa y de la casa de tu padre, a la tierra que te mostraré. Haré de ti un gran pueblo, te bendeciré, haré famoso tu nombre, y servirá de bendición. Bendeciré a los que te bendigan, maldeciré a los que te maldigan. Con tu nombre se bendecirán todas las familias del mundo.* Y añade el relato bíblico: *Abrán marchó, como le había dicho el Señor, y con él marchó Lot. Abrán tenía setenta y cinco años cuando salió de Jarán. Abrán llevó consigo a Saray su mujer, a Lot su sobrino; todo lo que había adquirido y todos los esclavos que había ganado en Jarán. Salieron en dirección de Canaán y llegaron a la tierra de Canaán* (Gn 12, 1-5).

Para los judíos de todos los tiempos, *Abrahán representa la promesa.* Es el peregrino que deambula por Oriente, colgado de la promesa de Dios. Por orden de Dios abandona la cultura urbana (Jarán), corta sus vínculos de familia y no echa anclas en ningún puerto. De Dios recibe sólo promesas: una tierra y una descendencia. Según Gn 15, 1-6 *Abrán recibió en una visión la palabra del Señor:* —*No temas, Abrán; yo soy tu escudo y tu paga será abundante. Abrán contestó:* —*Señor, ¿de qué me sirven tus dones si soy estéril y Eliezer de Damasco será el amo de mi casa?* Y añadió: —*No me has dado hijos, y un criado de casa me heredará. Pero el Señor le dijo lo siguiente:* —*No te heredará ése; uno salido de tus entrañas te heredará. Y el Señor lo sacó afuera y le dijo:* —*Mira al cielo; cuenta las estrellas si puedes.* Y añadió: —*Así será tu descendencia. Abrán creyó y se le apuntó en su haber. El Señor le dijo:* —*Yo soy el Señor que te saqué de Ur de los Caldeos para darte en posesión esta tierra* (Gn 15, 1-8).

La promesa de Dios es doble: una tierra y una descendencia. Esto explica que Dios tenga que cambiarle el nombre a Abrahán, que en un principio se llamaba Abrán. El cambio de nombre lo explica la Biblia diciendo: *Ya no te llamarás* ABRAN, *sino* ABRAHAN, *porque te hago padre de una multitud de pueblos.* Gracias a los avances filológicos se ha llegado a saber que el plural de los nombres se formaba intercalando una h en la sílaba final del nombre; al menos, así se forma en la lengua de Ugarit. En el futuro, Abrán no será Abrán, no será uno sólo, sino muchos.

Pero la relación entre Dios y Abrahán es desconcertante: cuando una de esas promesas se cumple, cuando Dios le da a su hijo Isaac, el mismo Dios se lo pide en sacrificio para probar su fe; al intentar obedecer, ejecutándolo, Dios no se lo permite: el Dios de Israel no admite sacrificios humanos; un carnero enredado entre las zarzas, será la víctima en su lugar (Gn 22, 1-24). Al final de su vida, Abrahán toma posesión de la tierra prometida, al ser enterrado en un trozo de su propiedad, en la ciudad de Hebrón, al sur de Jerusalén. Encerrado en ese espacio, dejó plantada la continuidad histórica: su hijo Isaac engendra a Jacob o Israel, y éste a los doce patriarcas, padres, según la Biblia, de las doce tribus que forman el pueblo. El relato bíblico simplifica considerablemente la historia: la secuencia Abrahán-Isaac-Jacob pudo ser más larga y complicada y es artificial, históricamente hablando, pero poco importa, y además poco más podemos saber de estos modestos personajes, los patriarcas, pastores de ganado menor que, según cuenta el relato novelado del Génesis, a causa de una gran hambre en la tierra de Canaán vienen a parar a Egipto en busca de alimentos. Allí uno de los hijos de Jacob, José, el menor de ellos (=el añadido), había llegado a ser gran vizir del faraón, después de haber sido vendido por sus hermanos a unos mercaderes.

En Egipto se le pierde la pista durante mucho tiempo a esta familia. Del siglo xvi al xiii a.C. hay un silencio histórico sobre este pueblo. Sus descendientes, los hebreos, aparecen en escena de nuevo en el libro del Exodo, convertidos en esclavos de un faraón opresor que los utiliza para la construcción de las ciudades granero, Pitom y Ramsés. En estas circunstancias comienza de nuevo la historia. Moisés aparece en escena.

Moisés o la Ley

El significado del nombre *Moisés,* con toda probabilidad egipcio, nos es desconocido. De él se han dado las más diversas interpretaciones, ninguna de ellas hasta ahora definitiva: si proviene del egipcio, Moisés significa *hijo = mosis* (cf. *Tutmosis,* hijo de Tut); Filón y

Flavio Josefo lo entendían como derivado del idioma copto donde *mo* significa *agua,* y *uséh: salvar,* de donde *salvado de las aguas* (así Ex 2, 10); otros lo derivan del egipcio *msí: dar a luz;* derivado del hebreo *msh,* significa *sacar:* (Dios) ha sacado (al niño del peligro o del seno materno). Poco importa su significado. *Moisés representa la Ley.*

Era natural de Egipto, de padres hebreos (Ex 2). Pasa la juventud bajo el reinado del faraón Horemheb, probablemente; es educado por una hija del faraón que lo recogió de las aguas del río, donde su madre lo había depositado para que no muriera a manos de los egipcios. Pero la educación en la corte no le hizo romper los lazos con su pueblo. Por defender a uno de su raza, tuvo que huir a Madián (Arabia), historia que presenta un cierto paralelo con la de Sinuhé el egipcio; allí se casó con Séfora (=pajarito), hija del sacerdote Raguel (=amigo de Dios). En Madián, Dios se le revela (Ex 3, 11) y le encomienda la misión de volver a Egipto para liberar al pueblo hebreo de la esclavitud. La salida de los israelitas de Egipto o Exodo tuvo lugar bajo el reinado del faraón Ramsés II (1250 a.C.) y es narrada en la Biblia, como una epopeya, con un tono legendario y maravilloso que dista de la modesta realidad histórica de un pueblo que, a causa de la última plaga en la que muere el primogénito del faraón, es expulsado del país, o que, según otra versión, salió huyendo de noche de Egipto. En todo caso, Moisés es el líder indiscutible de este pueblo. Pasó a la historia como *legislador,* pues en el desierto entregó de parte de Dios las leyes o mandamientos al pueblo y las puso por escrito (Ex 20), conduciendo al pueblo hasta Canaán —la tierra prometida— en la que no entra por castigo expreso de Dios (Num 20, 1-12).

La Ley, la *Torá* (=enseñanza) con sus innumerables preceptos (o *torot* = enseñanzas) será para siempre, a partir de Moisés, el norte, la referencia, el corazón de un pueblo que poco a poco va organizándose y pasando de la vida nómada y errante a la vida sedentaria, al instalarse, guiado por Josué, en la tierra palestina.

Saúl o el realismo (y la supervivencia)

Una vez en Palestina, las tribus comienzan a mirar a los pequeños estados de alrededor, organizados en torno a un rey, una corte y un ejército. El pueblo, conocedor de los grandes imperios y sus reyes, desea cambiar su régimen de tribus o anfictionías —demasiado débil para permanecer firme ante un invasor extranjero—, por un régimen más fuerte, con organización militar, con fronteras definidas, con medios para defenderse de las posibles invasiones de reyes extranjeros. Hacia el año 1050 a.C., después de unos siglos en los que el pueblo fue gobernado carismáticamente por los jueces, líderes ocasionales que lo libraban de los enemigos eventuales, sin gobierno permanente, se produce un cambio en la organización política de las tribus de Israel. Una parte del pueblo, los monárquicos, piden a Samuel un rey; otra, los teocráticos, que consideraban que el rey iba a usurpar el puesto de Dios, se opone. Al final triunfa la corriente monárquica y Samuel unge a Saúl, como rey (1 Sam 9, 1-10, 1). Con Saul comienza un nuevo período para el pueblo hebreo, organizado según el patrón de los estados o reinos de la época. *Saúl representa el realismo o la supervivencia* (organizarse frente al enemigo o morir). El período de los reyes, que tuvo sus momentos más gloriosos en David y Salomón, daría al traste en pocos siglos: tras la muerte de Salomón, y debido a su política centralista y abusiva, el reino se dividió en dos (a. 931): el reino del Norte, cuya historia como monarquía independiente terminaría el año 721 a.C., siendo deportada la población de Samaría, capital del Norte, a Asiria, y el reino del Sur, con su capital en Jerusalén, que acabaría en el año 586 a.C. con la deportación a Babilonia. A la vuelta del destierro, el pueblo hebreo no sabría más que de vejaciones; siempre estuvo dominado: primero bajo los persas (538-333 a.C.), después bajo Alejandro y los griegos (333-63 a.C.), después bajo los romanos (63 a.C. - 135 d.C.), momento en que comienza la gran diáspora o dispersión de los judíos por las provincias del imperio. La realeza, que se había presentado como la única posibilidad de supervivencia del pueblo, fue al mismo tiempo la causa de su ruina. Según el autor sagrado llevaban razón quienes proclamaban que Israel no debía tener otro rey que Dios. Tal vez escribió la obra tras conocer el desastroso fin de la realeza.

Los Profetas o la utopía

Con ocasión de los abusos de los reyes, de los cortesanos y de la oligarquía civil y religiosa del país, surgieron los profetas. *Los Profetas representan la utopía.* Gente que «hablaba a borbotones» (esto significa para algunos «profeta»), con fuerza, con agitación, con decisión, y en nombre de Dios (profeta, en griego, significa el que «habla de parte de...»). Los profetas fueron videntes (*hozeh, roeh*) o soñadores (*holem*) de un mundo nuevo hacia el que querían llevar al pueblo que, en la mayoría de las ocasiones, prefirió no hacerles caso y declararles la guerra a muerte. Ante la ceguera y la terquedad del pueblo, ante su sordera, los profetas se volvieron resistentes y constantes. Pero su palabra fue la utopía —«el no hay lugar»— que se hizo presente en una historia de miserias humanas: frente a los abusos del rey y de la corte, frente a las injusticias sociales, las alianzas políticas con otros estados, o la infidelidad del pueblo al Dios de los padres. Lo mismo da Isaías (profeta de corte), o Jeremías (aldeano), Ezequiel (sacerdote), Amós (ganadero y cultivador de higos) o los restantes profetas, llamados menores por la brevedad de sus escritos: todos ellos fueron grandes figuras de un pueblo que no debía perder su identidad, aliándose con otros pueblos, o su religiosidad dando culto a dioses extranjeros, de un pueblo que no debía abandonar su ley y sus tradiciones, y así defender en todo momento la justicia y el amor al pobre, al débil, al oprimido y al extranjero, como proclama el libro del Deuteronomio.

Los Sacerdotes o el rito y el culto

Junto con los reyes y profetas aparecen, en torno a los santuarios, los sacerdotes. *Los Sacerdotes representan el rito y el culto.* Con éstos, la religión de Israel se ritualiza, y el culto, centralizado desde el año 621 antes de Cristo con la reforma de Josías en el templo de Jerusalén (único templo del país), se convierte en el centro de la vida espiritual del pueblo. Con ellos el culto llega a su máximo esplendor. Los profetas, de los que ya hemos hablado, se alzaron contra la excesiva ritualización de un culto, organizado por una casta sacerdotal, que olvidaba la exigencia de la práctica de la justicia y el amor; contra unos sacerdotes que predican a sueldo (Miq 3, 11) y contra un pueblo que ofrece sacrificios que no agradan a Yahvé. Así lo proclama Isaías: *Oíd la palabra del Señor, príncipes de Sodoma; escuchad la enseñanza de nuestro Dios, pueblo de Gomorra. ¿Qué me importa el número de vuestros sacrificios?, dice el Señor. Estoy harto de holocaustos de carneros, de grasa de cebones; la sangre de novillos, corderos y machos cabríos no me agrada. ¿Por qué entráis a visitarme? ¿Quién pide algo de vuestras manos cuando pisáis mis atrios? No me*

14

*traigáis más dones vacíos, más incienso execrable. Novilunios, sábados,
asambleas no los aguanto. Vuestras solemnidades y fiestas las detesto;
se me han vuelto una carga que no soporto más. Cuando extendéis las
manos, cierro los ojos; aunque multipliquéis las plegarias, no os escu-
charé. Vuestras manos están llenas de sangre. Lavaos, purificaos, apar-
tad de mi vista vuestras malas acciones. Cesad de obrar mal, aprended
a obrar bien; buscad el derecho, enderezad al oprimido; defended al
huérfano, proteged a la viuda. Entonces venid, y litigaremos, dice el
Señor. Aunque vuestros pecados sean como púrpura, blanquearán
como nieve; aunque sean rojos como escarlata, quedarán como lana.
Si sabéis obedecer, lo sabroso de la tierra comeréis; si rehusáis y os
rebeláis, la espada os comerá. Lo ha dicho el Señor* (Is 1, 10-20).

También el sacerdocio dio al traste y, con la destrucción del templo
de Jerusalén (año 70 d.C.), los sacerdotes desaparecieron de la religión
de Israel. Una de las funciones del sacerdote, la de enseñar, se desarro-
llaría fuertemente, surgiendo después de la destrucción del templo una
generación sin término de rabinos. (Rabino se deriva de *rab*: «abundante»; indica al que es mucho, tiene mucho de grandeza, dignidad,
ciencia o cualidades, aquél que sobresale en la vida por su ciencia).
Los rabinos se encargarían de conservar, difundir, aclarar, traducir,
explicar la ley al pueblo, comentándola y actualizándola, en torno a
las sinagogas.

—o—

Sobre estos pilares se edifica el alma hebrea: la promesa y la fe
en Dios, la ley, el realismo, la utopía y el rito. Las numerosas fiestas
de este pueblo celebran su fe y sus tradiciones, los momentos en que,
abocados a la muerte, su Dios los liberó.

SEGUNDA ETAPA: EL JUDAISMO ENTRE DOS ERAS

Para entender a los judíos es el título de este libro, que trata
del estilo de vida de los grupos judíos en Palestina y en la diáspora.
Diáspora es el nombre que se da al conjunto de las colonias judías
establecidas fuera de Palestina a raíz de las diversas emigraciones. La
palabra hebrea *Galut* (o *Golá*) alude al carácter obligado y forzoso de

15

este exilio con su secuela de miserias, penalidades y vejaciones. El segundo Curso de Cultura Hebrea (cuyas conferencias reúne este libro) se encuadra cronológicamente entre los siglos que precedieron a la última gran diáspora bajo la dominación romana y al establecimiento definitivo de los judíos fuera de la tierra prometida (siglos III a.C. - II d.C.). Entre dos eras se configura el estilo de vida que llevarán las colonias de judíos dispersos por el mundo en todos los tiempos. En esta época encontramos la clave de su sistema de vida.

El geógrafo Estrabón, contemporáneo de Augusto, declaraba a comienzos de la era cristiana que los judíos habían invadido las ciudades y que «difícilmente se hallaría un lugar del cual este pueblo no se hubiera hecho el amo». Según Filón (*De Vita Mos* 2, 27), el número de los judíos diseminados por el imperio igualaba casi al de los indígenas. La afirmación es exagerada, pero es cierto que, a finales de la era antigua, una red de comunidades judías cubría el mundo grecorromano. Los documentos de la época y los descubrimientos arqueológicos atestiguan esta expansión geográfica.

En el año 63 a.C., en la persona del general Pompeyo, Roma hace su entrada en el Medio Oriente. El año 40 a.C. Herodes obtiene de Roma el título de rey (con la condición de que conquiste su reino); reinó hasta el 4 a.C. Durante el reinado de Herodes, hacia el año 6 antes de nuestra era, nació Jesús de Nazaret.

A la muerte de Herodes, su reino se dividió en tres y fue confiado a sus hijos. Arquelao, que reinaba en Judea y Samaría, no tardó en hacerse odioso; fue desterrado a las Galias y sustituido por funcionarios romanos o procuradores, de los que el más conocido es Poncio Pilato, que gobernó del 26 al 36 de nuestra era.

El pueblo judío, que soportaba mal esta servidumbre, estaba dividido: a los saduceos, la aristocracia terrateniente y sacerdotal, lo que más interesaba era conservar su status social, por ello guardaban las formas ante los romanos; los fariseos eran, por lo general, hostiles a los romanos, pero habían aceptado la realidad como irremediable; los zelotas fomentaban la revuelta armada.

Juan Mateos, profesor de los Institutos Bíblico y Oriental de Roma, presenta en el primer capítulo de este libro una visión panoramica de los *Grupos Judíos en la Palestina de principios de nuestra era.*

Hubo en Palestina, por aquel tiempo, judíos disidentes que rompieron totalmente con la estructura religioso-política del país y se refugiaron en el desierto de Judá a la espera de un Mesías davídico, volviendo al texto de la Sagrada Escritura (Torá, Profetas y Escritos) como fuente de inspiración de su vida: son los que podemos llamar con un título periodístico «los protestantes del judaísmo», que proclamaron la primacía de la palabra escrita, la *sola scriptura,* sobre la organización y el aparato de la religión de Israel, así como sobre su jurisprudencia religiosa.

Los capítulos segundo y tercero de este libro hacen una breve historia de los descubrimientos de Qumrán y la novedad que los innumerables manuscritos hallados aportan al judaísmo. En el capítulo segundo, *Los monjes de Qumran, «protestantes» del judaísmo* trazamos en breves líneas la historia de los descubrimientos del Mar Muerto y exponemos los resultados de las excavaciones del llamado «monasterio». El Prof. Florentino García Martínez, investigador del Instituto de Qumrán de la Universidad de Groningen (Holanda), ha tenido la gentileza de completar el segundo capítulo dedicado a Qumrán enviándonos un artículo sobre *La novedad de Qumran,* en el que resume magistralmente la aportación de los diversos documentos hallados y publicados hasta hoy. Llegamos de este modo al capítulo tercero.

Las revueltas judías o sublevamientos de grupos de judíos, durante la dominación romana, se hicieron cada vez más frecuentes. En el año 66, los zelotas, facción del pueblo partidaria de la revuelta armada, se alzaron contra los romanos. Nerón envió a su general Vespasiano a Jerusalén para acallar la revuelta. Cuando éste fue nombrado emperador en el año 69, dejó el mando a Tito, que se apoderó de la ciudad el 10 de agosto del 70, destruyéndola junto con el templo. Se habla —cifra exagerada— de un millón de muertos y otros tantos vendidos como esclavos por todas las provincias del imperio. Comienza así la gran diáspora de los judíos o *Galut.* Antes de esta fecha, algunos judíos huyeron a Yamnia, donde formaron una escuela judaica que tendría gran influencia en el judaísmo posterior y que, entre otras cosas, fijó el número de los libros del Antiguo Testamento.

A pesar de la desolación de ciudades y aldeas devastadas por la guerra y la terrible disminución de habitantes, en Palestina quedaron los suficientes núcleos judíos como para organizar al cabo de poco más de medio siglo otra sublevación. El año 135, el judío Simon Bar Kokhba

17

(hijo de la estrella) subleva al pueblo. Jerusalén es destruída por completo y se les prohíbe a los judíos residir allí. Es el final aparentemente, ya que no la muerte, del pueblo judío. Disperso entre las naciones, guardará para siempre su conciencia de pueblo, cuestionando al historiador y al creyente.

El Prof. Antonio Piñero Sáenz, Catedrático de Filología Neotestamentaria de la Universidad Complutense de Madrid describe, en el capítulo cuarto, la vida, costumbres y núcleos judíos fuera de Palestina, con el título de *El judaísmo en la Diáspora*. El Prof. Julio César Trebolle Barrera, del Departamento de Hebreo y Arameo de la Universidad Complutense de Madrid, nos ha enviado un artículo que completa la panorámica de los judíos en la diáspora: *Los judíos de Alejandría y la versión de los LXX* (versión al griego de la Biblia Hebrea). De esta importante comunidad judía, de su estilo de vida y de su proceso de helenización, por oposición a otros grupos de judaizantes, trata el capítulo quinto. Los dos últimos capítulos de este libro están dedicados a presentar de modo claro y pedagógico *la literatura targúmico-midrásica* (cap. sexto) y *la literatura mísnico-talmúdica* (cap. séptimo). En el capítulo sexto, el Prof. Miguel Pérez Fernández, de la Facultad de Teología de Cartuja (Granada) presenta una panorámica de las versiones arameas de la Biblia (o *targum*), y nos introduce en el modo de estudio de la palabra de Dios escrita en la Ley (*midras*). El conocimiento de esta literatura targúmico-midrásica aparece hoy como indispensable para una aproximación objetiva al judaísmo. No menos indispensable resulta el acercamiento al judaísmo rabínico, al mundo de la Misná y el Talmud como clave para captar la esencia del alma hebrea. El Prof. Carlos del Valle Rodríguez, Doctor en Filología Hebrea, nos guiará por esta senda en el capítulo séptimo y último, que concluye enumerando en síntesis las características del judaísmo de todos los tiempos.

Aquí terminará este libro, pero el Curso de Cultura Hebrea sigue adelante.

TERCERA ETAPA: JUDAISMO MEDIEVAL

La razón de los dos primeros cursos de Cultura Hebrea no ha sido otra sino prepararnos para poder abordar el objetivo final que pretendemos: el estudio de los hebreos medievales y, en especial, de los judíos, cordobeses de nacimiento o adopción. El próximo año (1985) analizaremos la situación de los judíos en la época del califato cordobés y en los reinos de taifas hasta el momento de la invasión almohade en que, una vez más, para salvar sus vidas, tienen que abandonar su tierra, Córdoba o Andalucía, para refugiarse en los reinos del Norte. Desde mediados del siglo x y hasta el siglo xii fue tal el apogeo que alcanzó la literatura hispano-hebrea que se considera esta época como verdadera Edad de Oro en los siglos de la Diáspora. Pero de todo esto tendremos sobrada ocasión de hablar durante el tercer Curso de Cultura Hebrea.

No obstante, no queremos terminar esta introducción sin aludir, aunque sea brevemente, a estos judíos e indicar *grosso modo* su aportación cultural. Los campos que abarcó su saber fueron de lo más variado: *Abu Yosef Hasday ben Shaprut* era médico y farmacólogo, político financiero y diplomático, secretario de Abderramán III y príncipe de las comunidades judaicas dependientes políticamente del califato de Córdoba; *Dunás ben Labrat* era un ilustre gramático; igualmente *Menahem ben Saruq; Yehudá ben David,* fue el autor de la terminología gramatical utilizada por nuestras gramáticas hebreas; *Shemuel ibn Nagrella,* educado en Córdoba, era famoso comentarista del Talmud, gramático, poeta y líder político; *Moshé ibn Ezra,* aunque granadino, fue educado a los pies del célebre rabino de Lucena *Ishaq ben Yehudá,* y ejerció de crítico literario y de poeta; *Yehudá ha-Leví* pasó largas temporadas en Córdoba y es el más grande de los poetas judíos medievales. Baste con decir que los versos más antiguos en lengua castellana los escribió éste. Son una *jarcha,* final o estribillo de una composición dedicada a Cidello, médico y consejero de Alfonso VI:

> *Responde(d): ¡Mío Cidello!, venid*
> *con bona albixara,*
> *como rayo del sol exid*
> *en Guadalajara.*

Y cómo no mencionar al teólogo, filósofo, médico, matemático, astrónomo y talmudista *Rabbí Moshé ben Maimón,* (en sigla RaMBaM), Maimónides, nacido en Córdoba el 30 de marzo de 1135, de donde tuvo que huir a causa de la persecución almohade. Su obra fue inmensa, comparable en el campo judío a la Suma Teológica de Santo Tomás

19

de Aquino. Pero de Maimónides, y de la obra de este cordobés, sefardita universal, tendremos ocasión de hablar durante el tercer Curso de Cultura Hebrea, con ocasión de la celebración del 850 aniversario de su nacimiento en Córdoba.

Terminamos así este recorrido por el judaísmo bíblico hasta el medieval: De Abrahám a Maimónides. Los judíos, durante todo este tiempo, supieron vivir esperando el cumplimiento de la promesa de Dios que les daría una tierra y una descendencia, a pesar de todas las persecuciones y exterminios; se unieron en torno a la Ley o Torá, comentada y actualizada, ley que recibieron de manos de Moisés, y que, con el correr del tiempo, se fue enriqueciendo; tuvieron que amoldarse —de modo realista— a las circunstancias de las épocas y lugares en que les tocó vivir para poder sobrevivir; su vida estuvo cargada de una fuerte dosis de utopía profética, y mantuvieron su identidad gracias a la celebración festiva de su historia en los ritos y liturgias de la sinagoga. Y todo esto, siempre con el corazón puesto en la Jerusalén de sus amores, considerada en la Biblia como el centro de la tierra, el ombligo del mundo, especie de paraíso perdido, pero siempre soñado. Yehudá ha-Leví, judío sefardita, poeta, el más ilustre de los poetas judíos medievales, canta de este modo a Jerusalén en una de sus Siónidas:

Mi corazón está en el Oriente y yo en lo último de Occidente.
¿Cómo voy a gustar de la dulzura de los manjares?
¿Cómo es posible que cumpla mis votos ni mis promesas,
si Sión está oprimida por los edomitas
y yo bajo el dominio de los árabes?
No me sería penoso renunciar a toda la hermosura de España
para poder contemplar el polvo de las ruinas del Templo.

Capítulo I

GRUPOS JUDIOS EN LA PALESTINA DE PRINCIPIOS DE NUESTRA ERA

por JUAN MATEOS *

INTRODUCCION

Nuestro objetivo es hacer de modo sencillo y breve una descripción histórica de la sociedad judía de principios de nuestra era. No obstante, para comprender esta época del pueblo judío es necesario remontarse en el tiempo varios siglos hacia atrás, en concreto al siglo II a.C.

La Provincia de Celesiria, de la que formaba parte Palestina, estaba gobernada por los Seléucidas, sucesores de Alejandro Magno, que bajo Antíoco III consolidaron su poder militar y político en esta zona (año 199 a.C.). Antíoco III concedió a los judíos autonomía para seguir su religión y su legislación, con obligación de pagar tributos y dar soldados al rey. Los judíos andaban divididos en lo que podríamos llamar dos partidos: uno, conservador, que rechazaba de lleno la helenización del país, y otro, progresista, que creía poder conciliar una cierta helenización con las prácticas judías. La convivencia entre estos dos partidos se hizo imposible bajo Antíoco IV Epífanes, que abolió el régimen de tolerancia de su antecesor Antíoco III y pro-

* Profesor de los Institutos Bíblico y Oriental de Roma.
Nota del editor: Esta conferencia fue grabada y reproducida en sus líneas generales con permiso del autor. Al editor pertenece cualquier imprecisión que se hallase en el texto.

hibió mediante edicto la ley judía, especialmente la práctica de la circuncisión y la observancia del sábado (161 a.C.; cf. 1 Mac 1, 10-64).

LA SUBLEVACION MACABEA

Los judíos, observantes, ultrajados por tal edicto y por lo que éste suponía de amenaza para la supervivencia de su religión y de su estilo peculiar de vida, se sintieron obligados en conciencia a presentar resistencia ante el colonizador. El autoritarismo de Antíoco IV provocó la sublevación de Matatías en el año 167. El 166, uno de sus hijos, Judas llamado el Macabeo (¿martillo?) le sucedió, reconquistó el templo y lo purificó. El 160 Jonatán sucede a su hermano Judas y en el 143 otro hermano, Simón, toma el relevo. El año 142 logra obtener la independencia de Israel. Asesinado en el 134, su hijo Juan Hircano toma el poder y funda una dinastía asmonea. Fue de este modo como consiguieron no sólo la tolerancia sino la independencia, bajo el reinado del asmoneo Juan Hircano I. Aquella rebelión y su consiguiente victoria hizo creer a los judíos que había llegado la era del Mesías y, con ella, la liberación definitiva de Israel. Pero lo que comenzó con un entusiasmo popular, terminó en una dictadura insoportable.

LOS GRUPOS APOCALIPTICOS HASIDEOS Y EL CISMA ORIGEN DE LOS FARISEOS

En este momento entran en escena los *hasideos o hasidim,* grupos de judíos piadosos que, al desembocar el movimiento macabeo en una dictadura, perdieron todas las esperanzas que habían puesto en él y se dedicaron a soñar una futura restauración que Dios habría de llevar a cabo. Con ellos nace una literatura apocalíptica que acepta de lleno el fracaso de la rebelión macabea y se refugia en Dios, esperando que sea él —y no los hombres—, quien cambie el rumbo de la historia para bien de su pueblo.

Pero no todos los hasideos opinaban de este modo. Un grupo de entre ellos pensaba que no era necesario esperar una intervención divina que pusiera fin a ese orden de cosas. Creían, más bien, que habría que resignarse en la situación que les tocaba vivir. Nació de este modo, como un cisma de los hasideos, la secta o partido de los fariseos, uno de los más importantes del siglo primero y el que ha dado la tónica a todo el judaísmo posterior. Desde la caída del templo de Jerusalén ha habido prácticamente una sola mentalidad judía, la dominada por el partido fariseo. De ahí que, hoy día, nosotros podamos tener la idea de que el judaísmo es de carácter monolítico. No fue así antes de la destrucción del templo de Jerusalén, época en que los judíos estaban organizados en diversos grupos o facciones, opuestos entre sí, e incluso con distintas corrientes en el interior de cada grupo. De estos grupos vamos a hablar a continuación. Pero antes haremos una breve descripción de la situación política de Palestina.

LA SITUACION POLITICA EN LOS ALBORES DEL SIGLO I. EL DOMINIO ROMANO

Para comprender el estilo de vida y la ideología de los grupos judíos de Palestina en el siglo I, es necesario conocer, a grandes rasgos, los avatares políticos.

Tras los seléucidas, Pompeyo conquista Palestina acabando con la independencia y autonomía de los judíos. El día del *Yom Kippur* del año 63 a.C., ocupó el templo de Jerusalén. Julio César, poderoso en España y en Galia desde el año 61 a.C., se rebeló contra Pompeyo en el 49 y con la ayuda de Antípatro en Alejandría, obtuvo el poder supremo (años 48-44 a.C.). Durante el triunvirato de Antonio, el senador romano nombró a Herodes, rey de Judea, hacia el año 40. Herodes el Grande reinó del 40 al 4 a.C. Fue un rey cruel y astuto. Por medio de la astucia diplomática y la más brutal crueldad y asesinatos llegó a reunir un reino que tenía casi la misma extensión del gran reino de David (con excepción de la Decápolis). Herodes tuvo diez mujeres y siete hijos, de los que asesinó a varios. Igual que muchos déspotas, fue un gran constructor, lo que le mereció el calificativo de *grande*. Embelleció la ciudad de Jerusalén con numerosos monumentos, entre los que destaca la reconstrucción del Templo; fundó nuevas ciudades helenísticas como Sebaste, Cesarea, Antípatris y Fasael. Dio su nombre a dos fortalezas, una en las cercanías de Belén y otra en Transjordania. Dotó de nuevas obras de fortificación a las fortalezas Alexandreion e Hircania y reconstruyó las de Maqueronte, Masada, Gueba y Esbón. En la tradición cristiana, este rey pasó a la historia por la matanza de los niños inocentes (Mt 2, 1-23). A la muerte de Herodes el Grande se dividió el reino entre sus hijos, con el consentimiento del Emperador. Judea (al sur) y Samaría (en el centro) le tocaron a Arquelao; Galilea, al norte, y Transjordania, al este, tuvieron por rey a Herodes II Antipas. Filipo heredó el territorio del este del Jordán y del lago de Galilea, hacia el norte.

Arquelao, más cruel que su padre, fue depuesto por los romanos y desterrado; en su lugar, Roma nombró un gobernador (año 6 d.C.). De estos gobernadores, el más conocido es Poncio Pilato (26-36 d.C.).

Los romanos dejaban a los judíos cierta libertad de movimientos. Herodes II, en el norte, gozaba de relativa independencia y, en el sur, el gobernador romano no solía intervenir en los asuntos internos de los judíos, aunque las excepciones a este modo de proceder fueran frecuentes.

GRUPOS JUDIOS

A principio de nuestra era, cuatro grupos judíos componían el panorama religioso-político del país: los fariseos, los saduceos, los zelotas y los esenios.

Los fariseos eran seglares que se esforzaban en observar la ley hasta el mínimo detalle, meticulosamente; a los saduceos o clase aristocrática pertenecían los grandes terratenientes y la jerarquía sacerdotal; los zelotas eran nacionalistas exaltados, de tendencia nacionalista, y los esenios, un grupo de disidentes del judaísmo que se retiraron al desierto de Judá y constituyeron una especie de monasterio en Qumrán a orillas del Mar Muerto. Vamos a describir ahora con detalle los tres primeros grupos; a los esenios, cuarto de los grupos mencionados, se dedicarán los capítulos II y III de este libro.

1. LOS FARISEOS; SEPARADOS O SEPARATISTAS. UNA LLAMADA AL REALISMO

ETIMOLOGIA

El nombre *fariseo* parece significar «separado o separatista». Se deriva del sustantivo arameo *perishayya,* y éste, a su vez, del verbo *parash* que significa «separar». No obstante, algunos hacen derivar esta palabra de *perushi:* persa o persianizante, por la semejanza de algunos puntos de la doctrina farisea con la religión persa.

EL DIEZMO Y LA PUREZA LEGAL

Dos eran las preocupaciones principales de este grupo: primero, *pagar el diez por ciento* de los frutos de la tierra; segundo, *mantenerse puros* evitando el contacto de cosas muertas, o de personas con ciertas enfermedades como la lepra. Tocar un cadáver de animal o de hombre o relacionarse con un leproso, por ejemplo, hacen al hombre impuro y le impiden poder ir al templo; oficios como el de curtidor de pieles de animales eran considerados por los fariseos como propios de gente impura y despreciable. Los propósitos de pureza ritual de los fariseos los obligaban a evitar tratar con la gente que llevase una vida impura, esto es, con el pueblo sencillo, con el vulgo, poco meticuloso en la observación minuciosa de la ley, a quien denominaban despectivamente *'am haares, gente de la tierra.* Tratar con el pueblo sencillo pone a mal con Dios. Por la misma razón no se fiaban de los comerciantes ordinarios que, a lo mejor, no habían pagado el diezmo de los productos. Los fariseos lavaban escrupulosamente todo lo que adquirían, ollas y platos, por si acaso estaban «manchados» o «impuros». Practicaban además unos lavados complicados antes de las comidas.

Con este estilo de vida, se convirtieron en una élite o círculo sacral cerrado, dedicado a observar la ley y sus innumerables preceptos, basados en tabúes derivados de la sangre o del sexo, superados ya desde antiguo por la religión de Israel que, por boca de los profetas, había proclamado la bondad o maldad de una persona por sus acciones buenas o malas, y había erigido como norma moral la propia responsabilidad.

LA TRADICION ORAL

Pero no queda todo en lo que acabamos de decir. Los fariseos introdujeron un nuevo elemento en la religión judía: *la tradición oral*. Antes de ellos, los judíos consideraban como normativa la ley de Moisés o *Torá*. Según los fariseos, ésta no era suficiente para ser fiel a Dios, pues Dios había dicho otras cosas a Moisés que no estaban escritas y que se habían transmitido oralmente. Esta tradición oral era considerada de origen divino y merecía el mismo respeto y adhesión que la tradición escrita. Así surgieron del grupo fariseo, los escribas, es decir, la gente de letras, los entendidos, teólogos o canonistas, intérpretes de la ley antigua, que multiplicaron los preceptos de aquélla. Para los fariseos había 613 preceptos: 365 prohibiciones y 248 mandamientos positivos, que además iban rodeados de una enorme casuística, un gran monumento de jurisprudencia avalado con la autoridad divina. De este modo, la práctica de la ley, la fidelidad a Dios, se hacía casi imposible, al tiempo que era un pesado yugo cargado sobre las espaldas del pueblo.

No todos los fariseos eran así, por suerte. Según el Talmud había siete clases de fariseos: «Los *anchos de espalda:* escriben sus acciones sobre la espalda para que los hombres les respeten; los *rezagados:* con el pretexto de un precepto urgente que cumplir retrasan pagar a los obreros; los *calculadores:* se dice que, como tienen ya muchos méritos acumulados, pueden permitirse el lujo de cometer algún delito; los *ahorradores:* se preguntan qué cosita pueden hacer para aumentar sus méritos; los *escrupulosos:* se preguntan por los pecados ocultos cometidos, para compensarlos con alguna buena acción; los *fariseos del temor,* que actúan como Job, y los *fariseos del amor,* que actúan como Abrahán; éstos son los verdaderos». De las siete clases, sólo la última es la auténtica; la mayoría, no obstante, se alinearon en las seis clases restantes.

UNA PIEDAD SIN COMPROMISO

La religión de los fariseos se centra en Dios; su *piedad* está *lejos del compromiso* con el hombre; su objetivo es conseguir la perfección personal ajustando la vida hasta el mínimo detalle a las normas que dictan la ley escrita y la ley oral, absolutizada hasta el punto de ocupar el puesto de Dios mismo. Se llegó a afirmar que Dios creó el mundo inspirándose en la Ley que existía desde siempre, como Dios.

EL DESCANSO SABATICO

De toda la ley, los fariseos subrayaban un mandamiento: *el descanso sabático*. El sábado había surgido originariamente como un día para liberar al hombre de la esclavitud de trabajar, obligándolo a descansar uno de cada siete días, siguiendo el ejemplo de Dios que descansó al terminar la obra de la creación. Pero el mandamiento del sábado se convirtió para los fariseos en una ley que esclavizaba al hombre más que los restantes días de la semana, dejándolo casi totalmente inactivo. En ese día no se podía hacer fuego ni caminar más del camino de un sábado, ni cocinar, puesto que para ello había que hacer fuego, ni curar una herida, e incluso se llegaba al caso ridículo de discutirse si se podía comer el huevo puesto por una gallina en día de sábado.

EL INFLUJO FARISEO

A pesar de todo lo que hemos dicho, los fariseos gozaban de gran autoridad ante la gente sencilla, que se dejaba impresionar por su apariencia de virtud (santones); sus preocupaciones eran de carácter religioso legalista y habían hecho creer al pueblo que, para estar a bien con Dios, había que obrar como ellos, metiéndole de este modo un sentimiento de culpa e inferioridad que les permitía dominarlo. El influjo de los fariseos era tan grande que el partido saduceo, aunque nominalmente poseyera el poder político y religioso, no tomaba medida alguna sin asegurarse el apoyo de los letrados fariseos. Frente a la situación política, los fariseos adoptaron una postura de realismo y tolerancia, a la fuerza.

Entre sus dogmas o creencias defendían la resurrección de los muertos y el mundo angélico.

2. LOS SADUCEOS: LA ARISTOCRACIA TERRATENIENTE Y SACERDOTAL

ETIMOLOGIA

El nombre *saduceo* deriva del arameo *zadduqaya,* y proviene del nombre propio del sumo sacerdote, rival de Abiatar, Sadok, nombre que deriva, a su vez, del hebreo *saddiq,* «justo». A los saduceos se les puede considerar como los descendientes del sacerdocio y de la aristocracia de la época macabea, benévolos con el helenismo y fieles a la dinastía asmonea. En su origen, por tanto, eran los caudillos de la resistencia contra los impíos, pero para asegurar la victoria de su causa tuvieron que buscar apoyo en el exterior, especialmente entre los romanos, negociando con sus directos adversarios, con tal de poder salvar al pueblo de la matanza. Estos contactos los abrieron a la civilización griega.

De los saduceos sabemos mucho menos que de los fariseos. Al ser el grupo formado por terratenientes y sacerdotes que administraban el templo, cuando éste fue destruido, desaparecieron con él. De ahí que el saduceísmo no haya tenido continuidad en el judaísmo posterior. Lo que sabemos de ellos se halla en documentos que no simpatizan con su ideología. Espigando de un lado y otro podemos describirlos con estas pinceladas: son culturalmente progresistas, religiosamente conservadores o tradicionalistas y políticamente colaboracionistas con los romanos.

Culturalmente progresistas pues, al ser gente de dinero, tenían trato con los romanos, con los griegos y con la alta sociedad, no viendo con malos ojos el influjo helenístico en Palestina. *Religiosamente conservadores,* pues aceptaban sólo la tradición escrita, la Torá o Pentateuco, sospechaban de los Profetas, y consideraban los Escritos como heréticos.

Josefo, que era fariseo, decía que «para ellos era una virtud disputar contra los maestros de la sabiduría que siguen» (*Ant. 18, 16*): cuanto más concreta y limitada es la ley, mayor es el terreno en donde no se aplica, en donde se goza de plena libertad. Encontramos aplicación concreta de este principio en las reglas de pureza: los saduceos creen que sólo son válidas dentro del recinto del templo. Esto

28

tiene dos consecuencias: se está libre de ellas fuera del servicio del templo y quedan de este modo libres para tratar con los paganos; la pureza y, por tanto, la santidad, está reservada a los que están frecuentemente en el templo, o sea, a los jefes de los sacerdotes; el pueblo no está prácticamente afectado por estas reglas y se le puede pedir toda clase de cosas y servicios, especialmente prestaciones personales.

Apoyándose en el concepto tradicional de una retribución inmediata y material, no aceptaban —como defendían los fariseos— el más allá. Poseyendo la riqueza y el poder, se consideraban los justos, pues riqueza y poder son el premio de Dios a los buenos en esta tierra. Aceptar un juicio y una retribución después de la muerte sería perder la seguridad.

Los saduceos eran *políticamente colaboracionistas*. Dado su *status* social de privilegio en el campo religioso, político y económico, su política respecto a los romanos fue de entendimiento, estableciendo con ellos una especie de concordato o acuerdo tácito: procuraban mantener el orden para que los romanos los dejasen tranquilos. Los saduceos habían renunciado a todo ideal que no fuera conservar la situación en que se encontraban y en la que gozaban de una cierta libertad de movimientos. Dicho de otro modo, aceptaban la injusticia del dominio extranjero, con tal de no comprometer su posición. Todos estos factores les habían granjeado la enemistad de los fariseos y del pueblo.

3. LOS ZELOTAS: GRUPOS CLANDESTINOS DE RESISTENCIA

Los fariseos estaban demasiado preocupados con su perfección personal, tenían un enorme influjo religioso en el pueblo, pero poca incidencia política. Los saduceos, por su parte, se declaraban en la práctica colaboracionistas. Quien no estaba satisfecho era el pueblo, pues su situación social era muy penosa. Para éste, la culpa de la situación la tenía el poder romano y quienes colaboraban con él, en especial la aristocracia sacerdotal del partido de los saduceos. Esta fue la razón por la que apareció un movimiento nacionalista de carácter violento, con un doble objetivo: expulsar a los romanos del país y cambiar la jerarquía sacerdotal corrompida. Es el movimiento de los zelotas o grupos clandestinos de resistencia. Su fundador parece haber sido *Judas el Galileo,* que se opuso al pago del tributo al Emperador romano y organizó una rebelión que los romanos sofocaron en sangre; su último refugio fue la ciudad de Séforis, situada en la colina, enfrente de Nazaret.

Judas era hijo de Ezequías, que se había proclamado con anterioridad caudillo del pueblo conquistando Séforis, capital de la Galilea. Los zelotas se reclutaban de entre las capas inferiores de la sociedad; eran bandas de hambrientos. Entre ellos había un grupo de terroristas, o *sicarios,* portadores de una sica o daga con la que eliminaban a las personalidades que no eran de su agrado con ocasión de las grandes manifestaciones o aglomeraciones de gente. Su oposición al censo y al tributo les ganó la simpatía de los campesinos y pequeños propietarios. Tenían un programa de redistribución de la propiedad y, al principio de la guerra judía (65 d.C.), destruyeron los registros de los prestamistas para liberar a los pobres del yugo de los ricos.

Respecto a las instituciones religiosas del país, los zelotas eran reformistas. Creían que el sistema religioso era bueno en sí, pero estaba mal administrado. Bastaría con destituir la jerarquía sacerdotal y sustituirla por otra que cumpliese mejor sus funciones.

—o—

Fariseos, saduceos y zelotas, además de los esenios de los que hablaremos en los dos capítulos siguientes, configuraron la sociedad judía de Palestina entre dos eras. Con la destrucción del templo de Jerusalén, por las legiones de Tito (año 70 d.C.), sólo perviviría el grupo fariseo, inspirador en lo sucesivo del judaísmo dentro y fuera de Palestina.

NOTA BIBLIOGRAFICA

J. Jeremías, *Jerusalén en tiempos de Jesús* (Madrid 1977); E. Charpentier, *Para leer la Biblia,* Col. Cuadernos bíblicos 1 (Estella, Navara, 1978); Ch. Saulnier, B. Rolland, *Palestina en tiempos de Jesús.* Col. Cuadernos bíblicos 7 (Estella, Navarra, 1979); E. Schürer, *A History of the Jewish People in the time of Jesus* (Nueva York 1967).

Capítulo II

LOS MONJES DE QUMRAN, «PROTESTANTES» DEL JUDAISMO

por Jesus Pelaez del Rosal *

INTROGUCCION: EL VIAJE DE JERUSALEN A QUMRAN

Visité Qumrán por primera vez en febrero de 1974, y he de confesar que, de todos los viajes que he realizado en mi vida por motivos arqueológicos, ninguno como éste despertó en mí mayor interés y pasión. Residía en Jerusalén y estudiaba en la École Biblique Archéologique Française, de la que había sido director el Padre dominico R. de Vaux, jefe de las excavaciones realizadas en el lugar de Qumrán. Recuerdo que, acompañado de un grupo de compañeros de estudio de diversas nacionalidades, y en un viejo autobús árabe, salimos de Jerusalén, cuando la ciudad apenas había despertado. Jerusalén está situada a 770 metros sobre el nivel del Mar Mediterráneo y a 1.165 sobre el del Mar Muerto.

Con nuestro viejo autobús bordeamos la puerta de Damasco, atravesamos el torrente de Cedrón o valle de Josafat (lugar del juicio final en la profecía de Joel 4, 1-14), subimos la ladera del Monte de los Olivos, contemplando el lado este de las murallas de la ciudad, camino de Azariyeh, la Betania de los evangelios, patria de Lázaro y en la actualidad pequeño poblado árabe, a 6 kms. de Jerusalén. Una moderna carretera (Jerusalén-Jericó) nos introduce, apenas salidos de los alrededores de la ciudad, en el desierto de Judá.

* Doctor en Filología Bíblica Trilingüe y Profesor de la Facultad de Filosofía y Letras (Sección de Filología). Universidad de Córdoba.

En el km. 10, la carretera asciende la ladera de la montaña conocida en la Biblia como *Ma'ale Adumim* (Colina Roja), por el color de la tierra. Este lugar marcaba la frontera entre las tribus de Judea al sur, y Benjamín al norte. Grupos de pastores apacientan sus rebaños: una leve capa de hierba verde viste todavía las tierras que bordean la carretera.

En el km. 16 hicimos un alto en el camino para visitar las ruinas del *Khan al-hatruri*. La tradición cristiana sitúa en este lugar el albergue donde el buen samaritano llevó al hombre malherido de la parábola evangélica para curarlo: *el khan del buen samaritano*. La elección de este lugar para recordar la parábola evangélica es acertada, pues se encuentra a mitad de camino entre Jerusalén y Jericó, en el corazón del desierto de Judá. Muy cerca de este lugar, al otro lado de la carretera, se hallan los restos de una fortaleza de tiempos de los cruzados, destinada a proteger de los ladrones y atracadores a quienes acudían a Jerusalén, vía Jericó.

Después de este alto en el camino, seguimos internándonos en el desierto de Judá entre blancuzcas cumbres gredosas. A una de éstas, llamada en hebreo Zuk, solía llevar la población de Jerusalén, el día de la Expiación (*Yom Kippur*), al chivo expiatorio que había de ser sacrificado, lanzándolo por un precipicio. El chivo expiatorio cargaba con los pecados del pueblo, que obtenía, de este modo, el perdón anual de Dios.

Llegamos al km. 27, donde se encuentra la intersección con la carretera que conduce de un lado al Río Jordán y al Mar Muerto, y de otro (a la izquierda) a Jericó. A kilómetro y medio de este lugar veneran los musulmanes la supuesta tumba de Moisés, Nabí Musa.

Dejamos a nuestra izquierda, Jericó, la ciudad que recuerda una de las primeras conquistas de Josué, y una de las ciudades más antiguas del mundo. La moderna Jericó es un bello oasis de palmeras y de exuberante vegetación en medio de un árido desierto. Seguimos por la carretera que nos conduce hasta el Mar Muerto.

Por primera vez, contemplábamos este mar, en realidad un lago de 76 kms. de largo y 16 de máximo de ancho, con una superficie de 200 kms., situado a 400 metros por debajo del nivel del Mar Mediterráneo, en el punto más bajo de la tierra (el fondo del Mar Muerto se encuentra a 800 metros por debajo del nivel del Mar Mediterráneo). Una península en el sureste del mar lo divide en dos partes desiguales, de las que la menor es una especie de estanque salado de unos 6 a 8 metros de profundidad. Aquí se sitúa el valle de *Siddim* que, como narra el libro del Génesis, se sumergió en las aguas del mar cuando Sodoma, Gomorra y otras tres ciudades, fueron castigadas con una lluvia de azufre y fuego, y cuando la mujer de Lot, por desobedecer la orden divina, quedó convertida en una estatua de sal (Gn 19). La característica especial del Mar Muerto es la intensa acumulación de sales en sus aguas (24-26%), entre las que prevalecen el cloruro de magnesio (11%) y el cloruro de sodio (7%). De ahí su sabor amargo y nauseabundo. El cloruro de calcio las hace suaves y oleaginosas al tacto. Los peces no pueden vivir en este mar que, desde el siglo II de nuestra era, se llama «Muerto», pero cuyo nombre en la antigüedad era «Asfaltida». Sus aguas destruyen todo tipo de vida orgánica. Debido a la fuerte concentración de sales, tiene un color azul intenso, y por el peso del agua —cada litro pesa aproximadamente 1'119 gramos— el cuerpo humano flota en él. El Mar Muerto recibe diariamente 6'5 millones de toneladas de agua, de las que una gran parte se evapora a diario, lo que hace difícil poder obtener fotografías nítidas de la zona, sobre todo en las primeras horas de la mañana. Está bordeado a este y oeste de montañas: al este, los montes de Moab (Jordania) cuyo perfil se ilumina al atardecer, y al oeste, los montes o meseta del Desierto de Judá.

Pero sigamos nuestro viaje hacia Qumrán. A unos 300 metros de la rivera occidental del Mar Muerto, una carretera, que atraviesa una llanura árida y estéril, conduce a Wadi Qumrán (*wadi* es el cauce seco de un torrente).

Cuando llegamos a la zona de Qumrán, territorio ocupado por los israelíes, un grupo de soldados controlan nuestros pasaportes. Eran las 10 de la mañana. Corría un viento frío, pero lucía un sol de mediodía. (En verano el calor es sofocante en esta zona, superando con frecuencia los 40 grados).

Poco tardaríamos en adentrarnos en las excavaciones, guiados por el P. Le Moine, nuestro guía de la École Biblique Archéologique Française. Para contemplar las ruinas y tener una visión panorámica, subimos a un pequeño torreón, comenzando así esta visita a una de las zonas arqueológicas del mundo bíblico que más interés ha despertado no sólo entre científicos, sino entre la gente no especializada (únicamente comparable a la expectación que en la actualidad están causando los descubrimientos de Ebla, ciudad de Siria, habitada desde el tercer milenio antes de Cristo, de cuyas excavaciones se han extraído más de 20.000 tablillas en una lengua que se ha denominado el «eblaíta», y que promete cambiar nuestro conocimiento de la historia o prehistoria del mundo bíblico).

Desde el torreón divisamos los cimientos y paredes a medio alzar del así llamado «monasterio de Qumrán»: la gran piscina, varias cisternas de agua, las instalaciones del alfarero con su horno, el escritorio, la lavandería, la sala del consejo, el refectorio o comedor, el depósito de vajilla, los almacenes y el establo. De las ruinas y en dirección a los montes de Judá, sale un acueducto que recogía las aguas del Wadí Qumrán, abasteciendo de este modo al monasterio.

1. HISTORIA DE UN HALLAZGO ARQUEOLOGICO

¿Cómo comenzó esta aventura apasionante, denominada Qumrán? Como en casi todos los grandes descubrimientos, el azar fue uno de sus principales agentes.

Qumrán es el nombre que da lugar no sólo a las ruinas (en hebreo Khirbet), sino también a toda la zona. El significado etimológico de esta palabra aún no se ha descifrado. Algunos han querido ver en este nombre, pronunciado a la usanza de los beduinos «Gumurrán», la evocación de la antigua ciudad de Gomorra; pero esta interpretación no ha sido aceptada.

Los beduinos de la tribu «Ta'amireh»

La historia del descubrimiento de Qumrán tuvo por iniciales protagonistas a unos pastores, beduinos de la tribu Ta'amireh, y en concreto a Muhammad Dib (lobo), pastor de 14 años que deambulaba por aquella zona a fines del 1946, buscando una cabra que se le había perdido. Al tirar una piedra por una cavidad de una pared rocosa, escuchó el ruido de unos objetos de barro que se rompían. Intrigado, pero temeroso por el ruido extraño, volvió al día siguiente acompañado de dos amigos (Ahmad? y Jum'á?). La abertura por donde había caído la piedra daba acceso a una gruta o cueva, en cuyo suelo descubrieron cascotes de vasijas de barro, así como varias tinajas en buen estado con sus tapaderas; una de las tinajas contenía tres rollos (libros) de cuero. Estaban escritos, pero en unos caracteres que los pastores no sabían leer. Se los llevaron. Más tarde, a mediados de 1947, hicieron una segunda expedición y descubrieron cuatro rollos más y varios fragmentos de manuscritos. No sabían la importancia del descubrimiento que acababan de realizar.

LA «ODISEA» DE LOS MANUSCRITOS

Estos primeros manuscritos comenzaron una verdadera «odisea». Los beduinos los llevan a un tendero-zapatero de Belén, que los lleva, a su vez, al convento sirio de San Marcos de Jerusalén. Mar Atanasio, metropolita sirio que residía en el convento, compró cuatro manuscritos, mientras que el prof. Sukenik de la Universidad Hebrea adquiría los otros tres. El metropolita sirio entró en contacto con los miembros de la American School of Oriental Research, cuyo director era el prof. Trever, quien los fotografió con la idea de publicarlos. Al final los manuscritos salieron para Estados Unidos. Esto sucedía hacia el año 1947.

En el 1948, el prof. Sukenik, el primero en reconocer la antigüedad de aquellos rollos y sospechar su origen esenio, publicó un informe preliminar sobre los manuscritos que poseía: el Reglamento de la Guerra (1QM), el rollo de los himnos (1QH) y un manuscrito fragmentario del libro de Isaías (IQ Isb). Hubo que esperar a los años 1950-51 para que la American School diera a conocer tres de los manuscritos del convento de San Marcos, fotografiados por Trever: el rollo completo de Is (IQIsa), el comentario de Habacuc (1QpHab) y la Regla de la comunidad (1QS).

En los primeros días de junio de 1954 apareció un anuncio en el periódico americano Wall Street Journal bajo la rúbrica: Ventas diversas. Decía así: Se venden cuatro rollos del mar Muerto, manuscritos bíblicos anteriores al año 200 a.C., regalo ideal, individual o colectivo, para Instituto pedagógico o religioso. Dirigirse al apartado F, 206 Wall Street Journal. El 2 de julio, un banco adquirió todo el lote para uno de sus clientes, negándose a dar su nombre. Se pagó la cantidad de 250.000 dólares. Hasta el 13 de febrero de 1955 no se supo que el estado de Israel poseía ya la totalidad de los grandes manuscritos de la cueva 1. Los cuatro rollos eran los que habían sido llevados por los beduinos al metropolita sirio Mar Atanasio, y fueron adquiridos por la Universidad Hebrea de Jerusalén.

LA BUSQUEDA - FIEBRE DE ROLLOS

A partir del descubrimiento de los primeros rollos y el reconocimiento de su importancia se originó una verdadera fiebre por la búsqueda de más ejemplares, no sólo por parte de los beduinos, sino también de los arqueólogos. Se exploró la zona de las grutas, todo el acantilado rocoso de Qumrán hasta Muraba'at, y se realizaron excavaciones arqueológicas en distintas grutas. Las exploraciones se dieron por terminadas después de 230 sondeos, cuyos resultados fueron bastante pobres. De todas las grutas o cuevas exploradas, sólo la cueva 3 había proporcionado material interesante.

LA CUEVA DE LA PERDIZ

Pero el año 1952 se producirían nuevas sorpresas o hallazgos. Gracias al relato de un viejo beduino que recordaba haber perseguido una perdiz herida y que se había refugiado en una hendidura, se descubrió una cueva en la que había varias vasijas de barro. La cueva se encontraba muy cerca de las ruinas de lo que se creía hasta entonces un fortín romano, dentro de una zona que aún no había sido explorada. Los beduinos se dirigieron a explorar esta cueva y encontraron un lote de fragmentos de todos los tamaños. Avisados los arqueólogos, acabaron la tarea: se sacaron de aquella cueva unos 40.000 fragmentos que representan unos 400 manuscritos. La Cueva 4 se designó como «la cueva de la perdiz» o de las perdices. Siguiendo esta pista, se descubrieron otras cuevas: la 5 y la 6 ya explorada por los beduinos que habían vendido al Museo de Palestina un lote importante de fragmentos, principalmente papiros. Los manuscritos están datados del siglo III a.C. al I d.C.

En 1953 comienzan las excavaciones en las ruinas de Qumrán y durante la cuarta campaña arqueológica se descubren en la planicie otras cuatro cuevas. En 1956 los beduinos trajeron algunos rollos bastante bien conservados, procedentes de la Cueva 11, que constituyen

36

con los de la Cueva 1 una extraordinaria riqueza. Entre ellos, un manuscrito de Ezequiel, un rollo de los salmos y un texto arameo de Job.

He aquí, en resumen, la historia del descubrimiento de los manuscritos de Qumrán, a los que nos referiremos más adelante.

La excavacion del «monasterio» y sus resultados

Con la excavación de las ruinas de Qumrán (Khirbet Qumrán) comenzaba una nueva etapa. Se trataba ahora de ver si existía alguna relación entre las grutas con tantos manuscritos y aquellas ruinas, consideradas hasta entonces como restos de un fortín romano.

El director de las excavaciones fue el Padre R. de Vaux, director de la École Biblique Archéologique Française de Jerusalén, dominico, junto con G. L. Harding. Comenzaron con un sondeo en diciembre de 1951, e hicieron cuatro campañas arqueológicas entre 1953 y 1956.

Antes del hallazgo de los manuscritos, las ruinas eran bastante visibles, pero no habían despertado la curiosidad de los arqueólogos. Algunos de ellos las consideraban un fortín romano, o incluso las ruinas de Gomorra como hemos dicho anteriormente; las tumbas del gran cementerio fueron consideradas por el geógrafo bíblico F. M. Abel restos de una antigua secta musulmana.

En las excavaciones se identificaron los siguientes períodos de ocupación de las ruinas:

— *Período israelita:* del siglo VIII a.C. se encontraron restos de un fortín militar. El libro de las Crónicas (2 Cr 26, 10) habla de unas torres mandadas a construir por el rey de Judá, Ozía. Tal vez el fortín fuese una de estas torres.

— *Período Ia:* antes del período de Juan Hircano (135-104 a.C.), un nuevo grupo humano se estableció en aquellas ruinas, edificando diversas construcciones modestas, sin pretensiones arquitectónicas.

— *Período Ib:* durante la segunda fase del primer período, estas construcciones modestas son sustituidas por otras de mayor esplendor, naciendo así un complejo arquitectónico grande, de dos plantas, rodeado de un buen muro y de casamatas. Para abastecer las necesidades de agua de este complejo arquitectónico, se construyó un acueducto que

37

traía las agua del Wadi Qumrán que abastecían las cisternas del complejo arquitectónico, cada una de las cuales tenía su propio estanque de decantación. El conjunto de las construcciones no servía para residencia de sus usuarios, sino más bien para una serie de prácticas comunitarias: sala de reuniones, refectorio, escritorio, cocina, etc., aunque estas denominaciones no son aceptadas por todos.

Este período terminó con un terremoto y un incendio. El historiador Flavio Josefo habla de un terremoto que arrasó casi toda Judea hacia el año 31 antes de Cristo. Si el incendio fue simultáneo o posterior, se discute. Hay quien, como Milik, uno de los editores de los textos de los manuscritos, afirma que fue primero el incendio y que el terremoto sobrevino cuando todas las instalaciones se encontraban en ruinas.

— *Período II:* El lugar fue abandonado hacia el año 31 a.C., pero sus antiguos residentes volvieron a ocuparlo a principios del reino de Herodes Arquelao (4 a 1 a.C.). En esta fase fueron restauradas las instalaciones no excesivamente perjudicadas por el terremoto y el incendio; las escasas nuevas construcciones no cambiaron sustancialmente el plano del edificio. Esta ocupación terminó hacia el año 68-69 con la primera revuelta judía, sofocada por los romanos.

— *Período III:* en las ruinas se establece un pequeño contingente romano hasta el año 73 d.C.

— *Período IV:* se supone que el lugar fue habitado como refugio por los judíos durante la segunda revuelta judía (132-135 d.C.). Esta ocupación, no obstante, no dejó huella en los edificios, aunque se sabe de ella principalmente por el hallazgo de algunas monedas.

[De todas estas fechas propuestas por el director de las excavaciones, De Vaux, se discuten dos: el comienzo del período Ia (antes del 135 a.C.) y la época de interrupción del 31 al 4 a.C.].

Vamos a abundar en el resultado de las excavaciones y referir algunos datos que sobresalen por los interrogantes que plantean:

1. En Qumrán se han descubierto abudantes cisternas, más de las que serían necesarias para el consumo de agua y servicios. Con excepción de dos, todas tienen escalera; algunas, escalera por dos lados, como para entrar por uno y salir por otro. Este dato hizo pensar que se trataba de piscinas para baños rituales de la comunidad.

2. En una de las habitaciones, los arqueólogos encontraron colocados en orden: 38 soperas, 210 platos, 11 ánforas, 31 jarras pequeñas, 708 tazones y 75 tazas, cada unidad igual a las de su especie. Se pensó que se trataba de la vajilla de la comunidad.

3. En otra sala, de la que se había caído el techo, y posiblemente pertenecientes al segundo piso, se encontraron mesas de barro cocido, de forma desconocida hasta entonces, y dos tinteros, uno de bronce y otro de barro, uno de los cuales contenía tinta seca. A este espacio se le denominó «escritorio».

4. Un problema aún sin resolver es el hallazgo de un gran número de huesos de animales colocados o en grandes tiestos de vasijas o en vasijas cubiertas y enterradas en el suelo a poca profundidad. Cada lote de huesos pertenece siempre a un solo animal (cabra, cordero, cabrito, buey o ternera), nunca se encuentra un esqueleto completo; los animales fueron cocidos, algunos asados. Unos dicen que se trata de restos de sacrificios de animales, pero en toda la zona de Qumrán no se ha encontrado un solo altar de sacrificios; por esto, otros (De Vaux, entre ellos) hablan de banquetes religiosos. Hay quien incluso piensa que la comunidad creía en la resurrección de los animales, de ahí que guardaran meticulosamente sus huesos... Pero todas estas hipótesis están aún por probar.

5. Alrededor de Qumrán se han descubierto tres cementerios: uno con una docena de tumbas, al norte de las ruinas; otro, al sur, con treinta tumbas; el tercero, denominado «gran cementerio», a oriente de las ruinas, a unos 50 metros, contiene cerca de 1100 tumbas dispuestas en filas regulares, repartidas en cuatro manzanas, separadas por caminos o pasillos. Cada tumba está indicada con un túmulo de piedras o con dos piedras grandes, una a la cabecera y otra a los pies. El cadáver está orientado de norte a sur, con la cara vuelta hacia el sur; los cadáveres se depositaban en una fosa, y se cubrían con piedras y tierra. En este cementerio se ha encontrado solamente el cadáver de una mujer; los otros eran de varones. En la prolongación de este gran cementerio se encontraron cuerpos de mujeres y niños. Se supone que los tres cementerios corresponden al período I y II de Qumrán, a la ocupación comunitaria del monasterio.

6. Los arqueólogos piensan que el edificio fue habitado como residencia por muy poca gente. ¿Dónde habitaba el resto? Tal vez en

tiendas de campaña o en las mismas grutas. De ahí que este complejo arquitectónico fuera, según los arqueólogos, una especie de laura, lugar de reunión, rezo y actividades comunes de una comunidad que habitaba en los alrededores. Todavía hoy se llama a sus moradores «monjes», y a las ruinas «monasterio», con una terminología aproximativa a lo que debió ser la realidad de aquella comunidad judía, disidente del templo de Jerusalén y de la religión oficial.

Qumran y su centro de abastecimiento: Ain Feshkha

Quien haya visitado la zona de Qumrán se pregunta cómo podía vivir tanta gente en una zona tan desértica, máxime sabiendo que sus moradores no practicaban el comercio. La incógnita ha quedado también resuelta. Unos kilómetros al sur de Qumrán se ha descubierto Ain Feshkha. Las excavaciones realizadas por R. de Vaux en 1958 en este lugar han sacado a flor de tierra el plano de una gran edificación o recinto con una nave y un patio en donde hay un pilón junto a una fuente. Las dos primeras fases de ocupación corresponden a los períodos Ib y II de Qumrán. Se trata, pues, de un establecimiento agrícola e industrial que dependía de la comunidad. Un oasis en medio del desierto y junto al Mar Muerto, que proporcionaba los alimentos necesarios para la vida del grupo. Como afirma R. de Vaux, todos estos hombre vivían en las cuevas o en chozas junto al acantilado y se reunían en Khirbet Qumrán; tenían actividades comunes y almacenes comunes; trabajaban en los talleres de Qumrán o en la granja de Ain Feshkha y eran enterrados en el cementerio grande o en los cementerios secundarios. En Ain Feshkha se fomentaba la agricultura y la crianza de ganado, que abastecían las necesidades alimenticias de la comunidad de Qumrán.

2. LOS MIEMBROS DE LA COMUNIDAD DE QUMRAN

a) Diversas hipotesis: ¿saduceos, zelotas, fariseos?

Hasta ahora hemos hablado del hallazgo de los manuscritos y de las instalaciones de Qumrán. Pero podemos preguntarnos: ¿quiénes eran sus habitantes? ¿Qué estilo de vida llevaban? ¿Por qué se habían refugiado en un lugar tan inhóspito?

Para identificar este grupo humano se han lanzado diversas hipótesis. Los qumranitas eran ya saduceos, ya zelotas, ya fariseos. Estas tres hipótesis se han descartado, pero han encontrado sus defensores. Es verdad que algunas de las características de estos grupos (saduceos, fariseos, zelotas) encuentran eco en algunos de los escritos de Qumrán. Según los defensores de alguna de estas hipótesis, los qumranitas serían o zelotas, partidarios de la guerra contra Roma y refugiados en el desierto con esa finalidad, o fariseos, continuadores del fariseísmo en su forma primitiva y por tanto separados del resto del pueblo, o saduceos que se consideraban los conservadores de la época en materia religiosa. Tal vez esta tesis última sea la más desafortunada, pues los saduceos eran la aristocracia terrateniente y sacerdotal, y los qumranitas se autodenominaban «los pobres»; los saduceos eran protagonistas en el culto de Jerusalén, y los qumranitas consideraban este culto como contaminado, estando siempre sus miembros lejos de los centros del poder político y religioso de la época.

Por eso, la identificación hoy más aceptada es la de «esenios».

b) LOS ESENIOS Y SU MODO PECULIAR DE VIDA EN RUPTURA CON EL JUDAISMO OFICIAL

Esenio es una palabra derivada, probablemente, del plural arameo *hasin,* y significa *piadosos* (en hebreo *hasidim*).

Los esenios formaban una secta en el más estricto sentido de la palabra. Flavio Josefo dice que existían ya desde el s. II a.C. Plinio el Viejo los sitúa junto al Mar Muerto. Eran una secta judía, que no es mencionada nunca en el NT. Llevaban a honor el ser observantes estrictísimos de la ley de Moisés, vivían pobremente y permanecían célibes formando comunidades parecidas a las conventuales. Los esenios eran un movimiento de protesta contra el clero mundanizado del templo de Jerusalén. Estaban organizados rigurosamente: la aceptación de nuevos miembros en la comunidad seguía un proceso establecido, y los candidatos debían pasar cierto tiempo antes de ser admitidos a hacer el juramento y aceptados a la mesa común. Los jefes eran elegidos democráticamente y si un miembro cometía una ofensa grave era expulsado de la comunidad por un tribunal. Practicaban una especie de comunión de bienes y se oponían al templo, observaban el sábado, se vestían de blanco, obligándose a guardar el secreto de sus doctrinas.

Este sistema de vida y mentalidad del movimiento esenio es el que traslucen los distintos manuscritos de Qumrán. Los esenios, y también los qumranitas, habían roto con el sistema político y religioso imperante. Sostenían que el templo y el culto estaban contaminados, porque el sacerdocio era ilegítimo, y no participaban en las ceremonias religiosas, ni colaboraban con la institución judía.

Para ellos, sólo la ley escrita poseía la autoridad de una Ley revelada. Su grito de protesta era muy similar al de los protestantes del siglo XVI: *Sola scriptura,* «sólo la Escritura» como fuente de inspiración. En la Escritura había partes claras (*nigelot*) y partes ocultas (*nisterot*). A la clarificación de estas partes oscuras de la ley la llamaban *midrash hattorah:* (investigación de la ley); su grupo se autodefinía como *bet hattorah* (casa de la ley), y consideraban su modo de vida como *derek Yahweh* (camino de Yavé). Este camino estaba cimentado en el estudio de la ley de Moisés y de los profetas. Por considerar que el judaísmo oficial estaba corrompido, habían roto con la institución y se habían retirado al desierto. Fueron en su época con relación al judaísmo, lo que los protestantes con relación al catolicismo en el siglo XVI.

3. LA BIBLIOTECA DE QUMRAN

Tal vez a lo largo de estas páginas haya surgido esta pregunta: ¿Por qué se encontraron los manuscritos fundamentalmente en las grutas y no en el monasterio? Dos son las hipótesis que se han barajado:

— Las cuevas son una especie de *genizot* o depósitos de manuscritos viejos que, por contener el nombre de Yavé y las Escrituras Sagradas, no se pueden ni quemar ni destruir. Esta hipótesis no ha sido aceptada, pues no sería necesario guardarlos en tantas cuevas como se han encontrado.

— Tal vez la hipótesis más plausible sea que las cuevas sirvieron de escondrijo para guardar los manuscritos. Esto se puede decir al menos de varias cuevas, en concreto de la primera que está muy lejos del monasterio, y de la cuarta que, aunque está cerca, su situación es inaccesible prácticamente, siendo un buen sitio para esconder los manuscritos en caso de un abandono precipitado del monasterio. Otras cuevas que estuvieron habitadas contenían manuscritos que se quedaron allí cuando sus usuarios tuvieron que irse.

La lista de manuscritos descubiertos, lo que podríamos llamar la biblioteca de Qumrán, es innumerable. De muchos quedan sólo fragmentos. Solamente 11 rollos —7 procedentes de la Cueva 1 y los 4 restantes de la 11— nos han llegado casi íntegros. La mayoría de estos manuscritos están en hebreo, algunos en arameo, en griego o en siríaco. La fecha de su redacción va del siglo III a.C. a la primera mitad del siglo I d.C. Ningún escrito del Nuevo Testamento se encuentra entre ellos, aunque el jesuita español y profesor del Bíblico, O. Callaghan, lanzó la hipótesis de haberse hallado algunos fragmentos del Nuevo Testamento en Qumrán. Esta hipótesis está aún lejos de ser aceptada universalmente por los especialistas.

De entre los textos descubiertos podemos hacer tres bloques por materias:

a) Manuscritos bíblicos

Una cuarta parte del total de manuscritos hallados son copias de diversos libros de la Biblia. Destacan entre todos ellos las dos recensiones del libro de Isaías, descubiertas por los beduinos en la cueva 1. Del único libro del que no se ha hallado copia alguna manuscrita ha sido del libro de Ester, por hablar de la fiesta de los Purim o suertes, rechazada por los qumranitas.

b) Apócrifos del Antiguo Testamento

Los apócrifos son libros cuya autoría se atribuye sin fundamento a los patriarcas y otros personajes ilustres. Destacan entre éstos el libro de los Jubileos, la Oración de Nabónides y el libro de Henoc, patriarca antediluviano arrebatado por Dios al cielo para premiar su justicia.

c) LITERATURA ESPECIFICA DE LA COMUNIDAD

Destacamos entre éstos el rollo del Templo, la Regla de la comunidad, el Reglamento de la guerra de los hijos de la luz contra los hijos de las tinieblas, los Himnos y el Documento de Damasco.

Tampoco faltan en esta comunidad los comentarios bíblicos: el apócrifo del Génesis, el Pesher (comentario) de Habauc, o el Pesher de Nahún.

NOTA BIBLIOGRAFICA: Cf. capítulo III.

Capítulo III

LA NOVEDAD DE QUMRAN

por Florentino Garcia Martinez *

Introduccion

Hablar de «la novedad de Qumrán» después de 35 años de su descubrimiento puede parecer un contrasentido, o, en el mejor de los casos, una manera no muy elegante de estimular el interés por un tema ya añoso y gastado por el uso. Y, sin embargo, el título es perfectamente adecuado. Los manuscritos de Qumrán, viejos de 2000 años, no han terminado aún de sorprendernos. Sólo ahora, después de 35 años de su descubrimiento, podemos comenzar a comprender las novedades que encierran, novedades que sólo se revelarán completamente en los próximos decenios. El motivo de este retraso es un hecho poco conocido: las tres cuartas partes de los manuscritos provenientes de la biblioteca central de la comunidad de Qumrán aún no han sido publicados. Las razones son muchas y variadas; la más importante es, sin duda, el que los manuscritos se hallan en un lamentable estado de conservación que hace dificilísima su lectura, incluso con los más modernos medios, y están desparramados en miles y miles de fragmentos diminutos. La reconstrucción e interpretación de este gigantesco rompecabezas es una tarea desesperante. Para hacerse una idea del problema es suficiente recorrer las páginas y examinar las fotografías del último volumen de la serie oficial de las publicaciones de los manuscritos recientemente aparecido (*Discoveries in the Judaean*

* Profesor Investigador del Instituto de Qumrán. Universidad de Groningen (Holanda).

Desert VII [Clarendon Press, Oxford 1982]). El editor, M. Baillet, ha reunido en él más de 2000 fragmentos de papiros y varios cientos de trozos de pergamino, que son los restos de 40 manuscritos provenientes de la cueva 4 de Qumrán. No es, pues, extraño que la publicación de los textos se haga con cuentagotas. Una vez aparecidos en las décadas de los cincuenta y sesenta los manuscritos cuya publicación era relativamente fácil por tratarse de manuscritos bastante completos y en buen estado de conservación, el iceberg enorme que forman la masa de fragmentos comienza solamente ahora a aflorar en superficie. En 1976 fueron publicados los fragmentos arameos del libro de Henoc. En 1977 los manuscritos 4Q 128 a 157 y el Rollo del Templo. En 1982 han visto la luz los manuscritos 4Q 482 a 520, y en 1983 los 4Q 400 a 403. El resto de los manuscritos de la Cueva 4 sólo irá apareciendo progresivamente en los años próximos, a un ritmo que se espera acelerado.

El material ya publicado, sin embargo, es suficiente como para intentar una evaluación de sus aportaciones. Es lo que intentamos presentar en estas páginas, que contienen una panorámica del contenido de los manuscritos más importantes resaltando las novedades que nos proporcionan en tres sectores clave para la cultura hebrea.

1. QUMRAN Y EL TEXTO DEL ANTIGUO TESTAMENTO

El primer sector en el que los manuscritos de Qumrán han originado una verdadera revolución es el del estudio del texto del Antiguo Testamento y de la historia de su transmisión. En Qumrán han aparecido copias de todos los libros de la Biblia judía, salvo del libro de Ester. Algunos libros están más abundantemente representados que otros, lo que nos indica las preferencias de los miembros de la secta. Así, de Isaías han sido catalogadas hasta el momento 19 copias, y del libro de los Salmos no menos de 31. A pesar de que la gran mayoría de estos textos bíblicos aún no han sido publicados, su importancia es tal que podemos hablar sin miedo de un antes y un después de Qumrán en los estudios de crítica textual del Antiguo Testamento. Algunas consideraciones de tipo general y algunos ejemplos nos ayudarán a ver claramente las novedades aportadas por Qumrán.

El primer elemento a tener en cuenta es la antigüedad de estos manuscritos. La mayoría de estas copias de textos bíblicos fueron hechas entre el siglo III a.C. y el siglo I d.C., y decimos la mayoría, porque algunas son del siglo IV a.C. En cualquier caso todas ellas son anteriores al año 68 d.C., fecha en que, ante la inminencia del avance destructor romano, fueron depositadas en las cuevas donde se han conservado hasta su descubrimiento. Este dato sólo adquiere todo su relieve cuando se le compara con la fecha de los manuscritos del Antiguo Testamento en los que se basan las Biblias utilizadas en el mundo entero. Por muy extraño que pueda parecer, mientras que el texto griego del Nuevo Testamento se nos ha conservado en numerosos pergaminos de los siglos IV y V, y en papiros aún más antiguos, el texto hebreo del Antiguo Testamento sólo nos era conocido por códices medievales. El códice de Leningrado, por ejemplo, que ha servido de base a las ediciones más corrientes de la Biblia hebrea, es del siglo XI. El códice de los Profetas de El Cairo, que está siendo editado en España, es de finales del siglo IX. El códice de Alepo, sobre el que se funda la más moderna edición, en curso de publicación en Jerusalén, es de mediados del siglo X. Esto quiere decir que los textos bíblicos de Qumrán son, por lo menos, mil años más viejos que los más antiguos códices que hasta ahora poseíamos. Cuando se piensa en la forma en la que los textos se transmitían en los tiempos anteriores a la invención de la imprenta, por no hablar de los procedimientos actuales de tratamiento automático de textos con la ayuda de los cerebros electrónicos, y en los errores que se introducen inevitablemente en toda copia a pesar del cuidado de los amanuenses, se comprende que el descubrimiento de los manuscritos bíblicos, copiados hace más de dos mil años, haya sido visto, en palabras de un gran espcialista, como «un sueño hecho realidad».

MANUSCRITOS ANTERIORES A LA CANONIZACION DEL TEXTO DEL ANTIGUO TESTAMENTO

Pero hay un hecho aún más importante que la simple ancianidad de los manuscritos, y es que todos ellos *provienen de una época anterior a la canonización del texto hebreo del Antiguo Testamento*.

Como es bien sabido, a finales del siglo primero de nuestra era, el proceso de fijación del texto del Antiguo Testamento culminó con la adopción de un tipo textual único, el designado habitualmente como texto masorético, el mismo que reflejan los manuscritos medievales, el que utilizamos en nuestras biblias hebreas actuales, y el que reflejan todas las traducciones modernas de la Biblia. Es decir, que en un determinado momento de finales del siglo I, las autoridades competentes decidieron que uno sólo de los distintos textos existentes para cada libro del Antiguo Testamento era el más correcto. Todos los demás, que se apartaban de este modelo autoritativo, fueron relegados al olvido. Los millares de variantes y de diferencias que contienen los manuscritos medievales no son otra cosa que el resultado de la manera como los manuscritos eran copiados y la consecuencia de los errores que surgen inevitablemente en este proceso de transmisión. Pero se trata siempre de un mismo texto. El texto del Antiguo Testamento que escuchamos en las Iglesias o que leemos tranquilamente en nuestras casas es el mismo texto (si la traducción es buena) que los rabinos del siglo I decidieron que era el más correcto y al que los demás textos debían adaptarse. Esta decisión fue tan eficaz, que ya los textos copiados a primeros del siglo II d.C. y que han aparecido en las cuevas de Murabba'at, Nahal Hever y otros sitios en el Desierto de Judá, y que datan de la época de la revuelta de Bar Kokhba, es decir, de unos 60 años después de la destrucción de Qumrán, son idénticos a los de nuestras biblias hebreas actuales.

Naturalmente, ya antes de los descubrimientos de Qumrán sabíamos que en el período anterior a la canonización del texto bíblico habían existido otros tipos de textos distintos del que nos era conocido como texto masorético. Esto gracias a la traducción griega de los Setenta y a las otras traducciones antiguas, cuyos originales, vistos los resultados, tenían forzosamente que haber sido distintos del texto hebreo conocido. En el caso del Pentateuco, gracias también al texto conservado por los Samaritanos que, a la época de la canonización, habían ya roto definitivamente con las autoridades de Jerusalén y estaban así libres de su influjo y no se hallaban sometidos a su «censura». Pero solamente desde que los manuscritos bíblicos de Qumrán han comenzado a ser publicados podemos disponer de textos hebreos anteriores a esta «canonización» y que nos reflejan el estado fluido y multiforme del texto bíblico.

En definitiva, la calidad de un manuscrito depende no tanto de la habilidad del amanuense que lo copió cuanto de la perfección del modelo del que se sirve para copiarlo. Los copistas de Qumrán no eran ni mejores ni peores que los copistas medievales. La gran diferencia consiste en que ellos disponían de diversos modelos. El resultado es que antes de Qumrán sólo teníamos un texto hebreo del Antiguo Testamento, mientras que ahora disponemos de numerosos textos.

Por supuesto, el hecho de que un texto sea más antiguo o sea distinto no significa que sea automáticamente mejor o superior a los otros. Los rabinos que seleccionaron los textos autoritativos sabían muy bien lo que se traían entre manos y, con frecuencia seleccionaron los textos mejores, los más fieles a lo que la tradición presentaba como el original. Pero no siempre, como lo prueba el texto de los libros de Samuel y Reyes, para los que los textos de Qumrán han confirmado la superioridad del texto utilizado como base para la traducción de los Setenta. La valoración cualitativa de las variantes que los nuevos textos nos proporcionan es una tarea delicada y que ocupará a los especialistas durante muchos años. Es indudable que entre las variantes proporcionadas por los nuevos textos, un cierto número de ellas se revelarán en definitiva como aberrantes y erróneas, inferiores al texto masorético; pero es igualmente cierto que otras permitirán corregir el texto aceptado comúnmente, acercándonos así a la forma original del texto sagrado. La larga tarea de cribar la avena de la paja está aún en sus comienzos, pero el hecho de que en Qumrán se hayan encontrado textos que son prácticamente iguales al texto masorético junto con otros textos que corresponden a los originales traducidos en los Setenta o conservados en el Pentateuco Samaritano, y otros que eran hasta ahora completamente desconocidos, obliga a valorar cada variante en sí misma y a juzgarla por sus propios méritos.

Una importante conclusión de este nuevo estado de cosas es el valor que han adquirido las antiguas versiones como testigos de un texto premasorético. El hecho de que los nuevos manuscritos nos hayan proporcionado los originales hebreos de los modelos sobre los que fueron hechas las traducciones o revisiones de estas antiguas versiones, hace que la Proto-Septuaginta, la Vetus Latina, la recensión proto-Luciánica, etc., deban ser consideradas como testigos válidos de tipos textuales diferentes y como instrumentos preciosos de aproximación a los originales.

Algunos breves ejemplos pueden aclararnos el tipo de variantes que nos ofrecen los nuevos textos.

En un oráculo contra el rey de Babilonia, Isaías dice según el texto masorético (Is 14, 11):

> *Al abismo ha descendido tu fasto,*
> *el murmullo de tus harpas*

Los intérpretes se hallaban desamparados por lo extraño de la segunda parte de la expresión, que no parece tener mucho sentido. Las dos palabras hebreas que la forman son HMYT y NBLYK. Si examinamos ahora el gran rollo de Isaías de la Cueva 1 vemos que en ambas palabras presenta una pequeñísima diferencia: HMWT y NBLTK. Estos cambios, sin embargo, dan a la frase un sentido completamente distinto:

> *Al abismo ha descendido tu fasto,*
> *a la muerte tu cadáver.*

Esta forma del texto tiene todas las garantías de representar la forma original, no sólo porque resuelve el problema que presentaba el texto masorético, sino porque respeta un principio fundamental de la poesía hebrea, el paralelismo, y porque permite comprender cómo se originó el error en el texto que sirvió de modelo al texto masorético. NBLTK se encontraba en el original, como lo prueba la traducción de Símaco y de San Jerónimo. Las letras Y y W son prácticamente iguales en los manuscritos de la época, y el copista que leyó equivocadamente HMYT se vio obligado a modificar la palabra siguiente para poder dar un sentido a la frase. En este caso la lectura correcta HMWT del manuscrito de Qumrán está además confirmada por la traducción griega de Teodoción que lee igualmente «muerte».

En otros casos es imposible saber si las nuevas lecturas corresponden al original o son inferiores al texto tradicional. Así, en el mismo libro de Isaías (Is 65, 3) el texto masorético denuncia al pueblo:

> *que sacrifica en los jardines*
> *y ofrece incienso sobre ladrillos.*

La traducción griega añade «a demonios inexistentes», precisando así a sus lectores el alcance y el horror de una práctica pagana. El texto de Qumrán, por el contrario, en lugar de «y ofrece incienso sobre ladrillos» tiene una frase misteriosa: «y chupan las manos sobre las piedras». El sentido que «la mano» tiene frecuentemente en los escritos de Qumrán como designación del órgano sexual masculino hace muy probable que a lo que aquí se alude como a una forma de idolatría es alguna especie de culto fálico u otra de las obscenas prácticas cananeas. ¿Fue el horror de estas prácticas paganas el que llevó a censurar el texto, eliminando la referencia, o nos hallamos ante un error inexplicable del modelo del que depende el texto de Qumrán?

En otras ocasiones, sin embargo, está claro que los nuevos manuscritos nos ofrecen un texto tendencioso, interpretado mediante ligerísimos retoques, para hacerle coincidir con el pensamiento del grupo de Qumrán. El último ejemplo pertenece claramente a esta categoría. El conocido texto de Isaías 6, 9-10 describe así la misión del profeta:

> *Vete y di a ese pueblo:*
> *Oíd con vuestros oídos, sin entender;*
> *mirad con vuestros ojos, sin comprender.*
> *Embota el corazón de ese pueblo,*
> *endurece su oído, ciega sus ojos;*
> *que sus ojos no vean, que sus oídos no oigan,*
> *que su corazón no entienda*
> *que no se convierta y sane.*

El sentido del texto parece ser que la función del profeta es la de endurecer el corazón del pueblo para evitar que se arrepienta y sea salvado. Que esta interpretación dura y pesimista es la del texto original, nos lo aclara la cita que de este texto hace el Evangelio (Mt 13, 14-15), que explica así la distinta reacción del pueblo y de los discípulos ante las parábolas de Jesús. Pero esta idea resulta insoportable para las gentes de Qumrán, para quienes la función del profeta es la de llevar al pueblo infiel a la conversión y al perdón. En consecuencia el texto que nos transmiten dice:

> *Vete y di a ese pueblo:*
> *Oíd con vuestros oídos para que entendáis;*
> *mirad con vuestros ojos para que comprendáis;*
> *asusta el corazón de ese pueblo*

y concluye:

que su corazón entienda
y se convierta y sane.

Aunque el sentido del texto es completamente distinto, los cambios efectuados son tan pequeños que uno estaría inclinado a considerarlos como un simple error accidental si no fuera porque uno de los himnos propios de la Comunidad depende claramente de esta interpretación particular del texto de Isaías:

Ciega mis ojos a la visión del mal,
mis oídos al rumor asesino,
asusta mi corazón de los malos pensamientos

(1Q H vii, 3).

Resumiendo las novedades que Qumrán nos aporta de cara al estudio del texto del Antiguo Testamento diríamos que:

— nos permite comprender el proceso de formación y fijación del texto bíblico, revelándonos la pluralidad de textos existentes antes de la canonización;

— nos permite recuperar elementos perdidos de ese texto, acercándonos así al original.

2. QUMRAN Y LA LITERATURA APOCRIFA

La literatura apócrifa está de moda, como lo prueban las nuevas ediciones que comienzan a aparecer un poco por todas partes en los últimos años, estimuladas por el interés que por esta literatura ha suscitado la publicación de los manuscritos de Qumrán. Estos escritos, apócrifos o seudoepigráficos, compuestos en los últimos siglos que preceden al nacimiento del Cristianismo, tuvieron la mala fortuna de no haber sido admitidos como literatura canónica, por lo que dejaron de circular y terminaron por perderse. En algunos casos, como el libro de Tobías o el de Ben Sira, la Iglesia Católica acogió en su redil la traducción griega, por lo que, aunque el original semítico se perdió, al menos la versión nos era conocida. En otros casos, como los libros de Henoc o el Libro de los Jubileos, sólo alguna de las

Iglesias marginales (en este caso la etiópica) les dieron cabida entre sus libros santos, y así han llegado hasta nosotros, aunque sólo en traducciones de segunda mano. De otros de estos libros sólo conocemos la existencia y el título, ya que se hallan mencionados en las antiguas listas de libros prohibidos. De otros muchos, toda huella se había perdido definitivamente. El azar de los descubrimientos a través de los siglos había permitido recuperar algunas de estas obras apócrifas traducidas al griego, al arameo, eslavo, árabe, etc., y ya a comienzos de este siglo comenzó a abrirse paso la idea de que precisamente este tipo de literatura podía encerrar uno de los eslabones de la cadena que unía el Nuevo al Antiguo Testamento. Sobre todo algunos escritos de carácter apocalíptico comenzaban a despertar el interés de los investigadores preocupados por la eclosión apocalíptica que florecía en el Nuevo Testamento.

Una de las novedades aportadas por Qumrán ha sido precisamente la de ampliar el campo y situar en una perspectiva nueva y más correcta este tipo de literatura. Por primera vez, después de muchos siglos, disponemos de nuevo de los originales hebreos o arameos de obras conocidas antes únicamente en traducciones, o podemos estudiar obras que se creían definitivamente perdidas. Aún más importante, estas obras pueden ahora datarse con precisión e integrarse en una perspectiva sociológica determinada, por lo que el desarrollo de sus ideas no se queda en el vacío. Estos elementos aparecen claramente cuando se consideran las aportaciones qumránicas a las tres obras más importantes de la literatura apócrifa: Libro de Henoc, Libro de los Jubileos y Testamentos de los XII Patriarcas.

El Libro de Henoc

La publicación en 1976 de los fragmentos arameos de las siete copias de el Libro de Henoc aparecidos en la Cueva 4 tuvo los efectos de un terremoto que resquebrajó las ideas que se tenían sobre este venerable apócrifo. Nadie dudaba que se trataba de una obra antigua, puesto que se la cita incluso en el Nuevo Testamento; pero nadie sospechaba que algunas de sus partes se remontaban al siglo III a.C. La obra se nos había transmitido parcialmente en griego y de una forma completa en etíope, aunque se sospechaba que a la base había un original semítico. Qumrán ha probado que este original fue escrito en arameo. Puesto que algunos de los manuscritos qumránicos sólo contienen una u otra de las distintas partes que componen el Henoc etiópico, mientras que otros engloban ya varias de esas partes en una unidad, sabemos ahora que estas partes tienen orígenes diversos y que circulaban independientemente antes de ser agrupadas en lo que conocíamos como un solo libro. Este, en realidad, no es más que una compilación de distintos escritos hecha posiblemente por un autor qumranita, tal vez el mismo que compuso la parte que designamos como Epístola de Henoc. Ahora sabemos también que el volumen de escritos agrupados en torno a la figura de Henoc en Qumrán no era idéntico al que nos ha sido transmitido por la Iglesia Etiópica; la parte de la obra que más interesaba a los estudiosos del Nuevo Testamento debido a la presencia de la figura mesiánica del Hijo del Hombre estaba ausente de la compilación qumránica, aunque esto no significa que esta parte como composición independiente sea poscristiana. En su lugar había otra composición apócrifa, en la que el editor reconoció el perdido Libro de los Gigantes, un apócrifo que tuvo gran influjo entre los círculos maniqueos y que describía en detalle las acciones de la progenie monstruosa, resultado de la unión de ángeles y mujeres en los tiempos anteriores al diluvio. No sólo las obras agrupadas varían, sino que el contenido de una de las partes conservadas en la tradición posterior no es más que un resumen muy abreviado de uno de los elementos más antiguos de la obra: el Henoc astronómico. Las dos copias que contienen únicamente la primera parte del Henoc etiópico, el Libro de los Vigilantes, han servido para que esta obra merezca el honor de ser el más antiguo apocalipsis judío conocido, y para transformar de un golpe las ideas que nos formábamos sobre los orígenes y el contenido de la literatura apocalíptica. Hasta ahora se había dicho que esta literatura era el resultado de la gran crisis espiritual que atravesó el judaísmo en los años que preceden a la revuelta de los Macabeos. En esos años de expansión del helenismo y de presión del imperio seléucida, el Templo de Jerusalén es profano, la práctica religiosa prohibida, y la identidad misma del pueblo judío amenazada. La necesidad de dar una respuesta a esta situación angustiosa habría originado el nacimiento y desarrollo de los escritos apocalípticos, una literatura de esperanza para un tiempo de crisis y que ofrecía una solución escatológica y aseguraba el triunfo final de los elegidos. Pero ahora sabemos que el más antiguo libro apocalíptico, el Libro de los Vigilantes, fue escrito mucho antes de esta crisis, que los problemas que a su autor interesan son cosmocientíficos más que escatológicos, y que sus raíces no se alimentan del fermento de la persecución, sino que se nutren de antiguas tradiciones. El hecho de que esta obra del siglo III a.c. fuera combinada ya en el siglo II a.C. con otras que ofrecen una visión de la historia semejante a la del apocalipsis del libro de Daniel nos prueba que ambas corrientes, la cosmológica y la escatológica, pertenecen con el mismo derecho a esa tradición que, a falta de otro nombre, designamos como apocalíptica.

El Libro de los Jubileos

Menos espectaculares, aunque también importantes, son las novedades que los manuscritos de Qumrán han aportado a otro de los grandes apócrifos de la época: el Libro de los Jubileos. Entre los manuscritos publicados y los que aún siguen inéditos pueden contarse no menos de 12 copias de esta obra, que nos permiten resolver algunos de los enigmas más importantes que la obra presentaba. Una de las copias de Qumrán, escrita a finales del siglo II a.C., nos prueba sin lugar a dudas, que circulaba ya antes del año 100 a.C. Aún más interesante: que el título de la obra sea citado como el de un libro autoritativo en uno de los documentos típicamente sectarios, el Documento de Damasco, y que se hayan encontrado copias en casi todas las cuevas, hace muy probable el que la obra haya sido escrita, si no dentro de la Comunidad de Qumrán, al menos al interior del movimiento esenio del que esta comunidad deriva. No hay que buscar, pues, su origen, como era costumbre hacerlo, al interior del partido fariseo. Pero tal vez lo más interesante es que ahora podemos comprender el calendario particular según el cual el autor de Jubileos organiza todos los acontecimientos de la historia bíblica y que no es otro que el calendario solar de 364 días utilizado en Qumrán. En este calendario, que no se acomoda a la realidad astronómica, pero que tiene la ventaja de ser perfectamente regular y simétrico y de adaptarse a un sistema de culto fijo, el Año Nuevo comienza siempre en miércoles, y las fechas de las fiestas están fijadas rigurosamente de antemano, puesto que el año consta de doce meses de 30 días con un día adicional intercalado cada tres meses, con lo que se obtiene un ciclo perfecto de 13 semanas repetido cuatro veces al año, en el que cada día de la semana coincide con el mismo día del mes. Este sistema fijo, que se presenta como revelado y como el único valedero, no sólo permite regular el culto terrestre y distinguir a quienes lo siguen de todos los demás, sino que permite sincronizar este culto terrestre con el culto celeste y unir la liturgia de la secta en la tierra con la liturgia angélica de los cielos.

Los Testamentos de los XII Patriarcas

Las aportaciones de nuestro manuscrito a este tercer gran apócrifo son más difíciles de evaluar. Como es bien sabido, los investigadores no llegan a ponerse de acuerdo en si la obra, que se nos ha conservado en griego, es un producto judío o cristiano, aunque todos admiten que el redactor que le dio la forma actual utilizó elementos judíos preexistentes. Este problema es fundamental y de él dependen las soluciones que se den a los problemas de finalidad, origen, datación, etc., y en definitiva, la teología del apócrifo. A pesar de que en Qumrán se nos han conservado numerosas obras de género testamentario, sobre todo en lengua aramea, algunas de las cuales parecen estar en relación con las fuentes utilizadas por el autor de los Testamentos de los XII Patriarcas, es imposible determinar si existía una composición conteniendo los testamentos de varios Patriarcas en cuanto obra distinta de los Testamentos de Patriarcas individuales. Obras como el Testamento de Amram, el Testamento de Qahat o el Testamento de Jacob, son obras completas que no tienen nada que ver con los Testamentos de los XII Patriarcas. Otras obras, como los Testamentos arameos de José y Judá y el Testamento hebreo de Neftalí, podrían estar en relación con las fuentes utilizadas por el redactor de la obra griega, aunque la cosa no es del todo cierta. El caso más importante es el del Testamento arameo de Leví, del que se han conservado en Qumrán cinco copias distintas. Las relaciones de este texto con el Testamento de Leví incluido en los Testamentos de los XII Patriarcas es cierta, o para ser más precisos, con una de las fuentes utilizadas por el redactor de la obra, ya que los contactos más numerosos lo son, no con el texto griego habitual, sino con dos largas adiciones conservadas en un solo manuscrito del monte Atos y con los fragmentos arameos, en parte coincidentes, aparecidos en la Geniza de El Cairo. Pero en todo caso, estos textos preciosos del Testamento arameo de Leví nos prueban que una de las fuentes en las que se basa el apócrifo existía ya como un Testamento independiente, al menos en el siglo II a.c., una novedad ciertamente importante.

Junto a estas obras apócrifas que nos eran ya previamente conocidas, los manuscritos de Qumrán nos han conservado restos de otras cuya memoria se había perdido con los siglos. Ya hemos aludido al Libro de los Gigantes, que puede ser el mismo que el Decreto Gelasiano menciona como «Libro de Ogía el Gigante» y que aún no ha sido editado completamente. Otro libro perdido al que se refieren tanto Henoc como Jubileos es el Libro de Noé, al que en 1981 atribuimos unos fragmentos arameos de Qumrán que habían sido publicados como si se tratase de un horóscopo del Mesías. Otro apócrifo, del que se han conservado cinco copias, es el de las Visiones o el Testamento de Abraham; el texto está aún, en su mayor parte, inédito, pero la parte publicada nos describe a los jefes de los ejércitos celestes, Miguel y Belial, que se disputan el alma del Patriarca momentos antes de su muerte. Otros dos textos arameos se sitúan en el ciclo de historias y leyendas creadas en torno a la figura de Daniel, algunas de las cuales encontraron cabida en el canon de la Biblia hebrea, otras únicamente en el canon cristiano, mientras que otras, como la Oración de Nabonida, que nos narra las desventuras del rey babilónico y su conversión final al verdadero Dios, o el discurso apocalíptico del Pseudo Daniel, que contiene un desarrollo sobre la historia santa hasta el período helenístico seguido de una descripción del final de los tiempos, sólo hallaron cabida en la biblioteca de Qumrán. Otra obra apócrifa de la que se han encontrado distintas copias en distintas cuevas es la Descripción de la Nueva Jerusalén, una obra que se sitúa a mitad de camino entre la descripción de la Jerusalén celeste del Profeta Ezequiel y la del libro del Apocalipsis del Nuevo Testamento. En ella, y con gran lujo de detalles, se nos narra una especie de visita turística a la Jerusalén celestial, en la que el guía, un ángel como corresponde, describe los distintos edificios de la ciudad y del templo y los sacrificios que allí se celebran, teniendo buen cuidado en señalar las enormes dimensiones y los materiales preciosos con los que esta ciudad ideal está construida.

Las novedades, pues, de Qumrán de cara al estudio de la literatura apócrifa, son muchas e importantes; no sólo porque ha salvado del olvido un buen número de obras, sino porque ha puesto toda esta literatura en una nueva perspectiva.

3. LOS TEXTOS SECTARIOS DE QUMRAN

Si las novedades con las que los manuscritos de Qumrán han iluminado el estudio del Antiguo Testamento y de la Literatura Apócrifa son muchas e importantes, como creemos haber indicado suficientemente, la mayor novedad que los manuscritos nos ofrecen reside, sin embargo, en otro tipo de obras, en los escritos propios y peculiares de este grupo de ascetas visionarios que durante dos siglos ocuparon lo que hoy son unas ruinas al borde del Mar Muerto. Son los escritos que designamos como textos sectarios. Estos escritos nos revelan una comunidad desde su interior; nos enseñan las reglas que gobernaban su vida en los menores detalles; nos descubren los tesoros de su espiritualidad y su teología, sus polémicas, sus aspiraciones, su liturgia, su manera de leer y de interpretar el texto bíblico, la fuente inextinguible que alimentaba su espera y que les preparaba para el combate final que inauguraría el triunfo definitivo del reino de Dios.

Por el Nuevo Testamento y por otras fuentes como el historiador Flavio Josefo, sabíamos que en los alrededores de la era cristiana un buen número de corrientes y de grupos poblaban el panorama del mundo judío: saduceos, fariseos, esenios, zelotas, etc., pero de cada grupo conocíamos poco más que el nombre y algunos rasgos generales de su pensamiento o de su organización. Mientras que ahora, por primera vez, de uno de esos grupos disponemos de informaciones directas y en una tal abundancia que sólo es comparable con las que poseemos sobre el grupo judío que, después de la muerte de Jesús, daría origen a la Iglesia.

Es imposible en este cuadro presentar, incluso sumariamente, todos y cada uno de los textos sectarios. Por eso nos limitaremos a indicar el contenido de los más importantes, agrupándolos en tres grandes categorías: las reglas, los himnos y plegarias, y las interpretaciones del texto bíblico.

a) Las Reglas

La Regla de la Comunidad (1Q S)

El redactor que dio la forma final a este documento, del que se nos han conservado una docena de copias, incorporó en su interior diversos elementos de distintas épocas, lo que nos permite rastrear la evolución interna de la comunidad cuyo código fundamental constituye en alguna manera. Estos elementos incluyen el antiguo «manifiesto» que precede y da origen a la formación del grupo de Qumrán y traza las líneas fundamentales de su teología, una liturgia de entrada a la comunidad con el tratado de los dos espíritus, y el amplio himno con el que se cierra la composición. En su interior, y procedentes de épocas diversas, encontramos distintos reglamentos que regulan el proceso de incorporación a la comunidad y los estadios de iniciación, la vida de los miembros, las normas para las asambleas, las responsabilidades de los distintos funcionarios de la secta como el *maskil,* el *paqid,* el *mebaqqer,* el consejo de la comunidad, los tribunales, etc., así como un complejo código penitencial que precisa los castigos a los que se exponen los que incurren en determinadas faltas y que van desde la prohibición de participar en las purificaciones de la secta a la privación más o menos larga de una parte de la ración alimentaria y hasta la expulsión definitiva del miembro infiel.

El Documento de Damasco (CD)

De un carácter igualmente compuesto y de una historia no menos complicada es otra de las reglas sectarias, conocida como Documento de Damasco por la importancia que en ella tiene el exilio al «país de Damasco». De esta obra se habían encontrado dos copias en la Geniza de la sinagoga caraíta de El Cairo a comienzos de este siglo, e inmediatamente después de la publicación de los primeros manuscritos de Qumrán se reconoció la relación que tenía con los escritos sectarios. Esta relación quedó probada con el hallazgo de una decena de copias de la misma obra entre los manuscritos, la mayoría de las cuales aún siguen inéditas, y que permiten completar notablemente los ejemplares de la Geniza y modificar el orden de algunas de las hojas. La obra original constaba de una introducción, que falta en el manuscrito de El Cairo, las dos partes contenidas en este manuscrito, y una liturgia para la fiesta de la renovación de la alianza, tampoco conservada en los manuscritos de la Geniza. El cuerpo de la obra está formado por dos partes claramente distintas: la exhortación y las leyes. La exhortación incluye un triple prólogo histórico que saca de la historia las lecciones que permiten encuadrar los orígenes de la secta y la actuación del fundador, el Maestro de Justicia, cuya desaparición se mencionará de nuevo al final de esta parte; un midrás sobre las tres redes de Belial permite exprimir algunas de las ideas fundamentales y polemizar contra los enemigos; la presentación de la nueva alianza que forman los miembros de la secta se completa con el anuncio de los premios a los miembros fieles y del castigo a los infieles a esta alianza nueva. La división de la segunda parte, las leyes, es fácil, ya que el autor la ha provisto de abundantes títulos. Contiene: —las normas para la entrada en la alianza y los juramentos; —reglamentos internos de la comunidad: corrección fraterna, restitución de objetos, funciones de los jueces, etc.; —ritos y normas a observar en la comunidad: lustraciones, ley del sábado extraordinariamente rigurosa, distintas normas para evitar la contaminación y normas de pureza ritual; —organización de la comunidad: admisión de miembros, estructuras, funcionarios, etc.; —código penal, mucho más amplio en una de las copias de la Cueva 4.

No todas las normas concretas del Documento de Damasco coinciden con las normas de la Regla de la Comunidad, por lo que puede pensarse que los distintos textos reflejan distintos momentos en la evolución de la vida de la secta o que se dirigen a comunidades distintas dentro de un mismo movimiento.

La Regla de la Congregación (1Q Sa)

Tampoco la comunidad para la que legisla la Regla de la Congregación es la misma que las anteriores, a pesar de que su texto está relacionado íntimamente con ellas y el escriba lo copió en el mismo rollo que contiene la Regla de la Comunidad. Esta Regla de la Congregación, en efecto, no legisla para una comunidad presente, sino para la comunidad del final de los tiempos, cuando el doble Mesías esperado, el sacerdotal o de Aarón y el de David o jefe militar, se hallen presentes en medio de los miembros. Contiene instrucciones para los aspirantes, así como las normas para la promoción a las distintas funciones, junto con las edades y disposiciones requeridas para cada una de ellas. Otra sección está dedicada a las asambleas, su preparación, convocatoria, exclusión de las mismas, así como a la asignación del puesto que a cada uno, incluidos los dos Mesías, le corresponde en ellas. La última de las partes conservadas describe el banquete escatológico como una proyección de las comidas comunitarias de la secta, en el que el sacerdote es quien bendice el pan y el vino, y sólo después, el Mesías de Israel y los demás miembros pueden tomar a su vez el pan y decir la bendición, cada uno según su rango.

La Regla de la Guerra (1Q M)

Destinada igualmente a los últimos tiempos es la Regla de la Guerra, que nos describe el combate que enfrentará a los «hijos de la luz» con los «hijos de las tinieblas», cada campo apoyado por las potencias angélicas y demónicas respectivamente, y para el que el escrito proporciona un manual detallado en el que las cuestiones de pureza ritual de los participantes alternan con principios de táctica militar a seguir. En su primera parte, el autor precisa el tiempo fijado para la guerra y los enemigos que hay que combatir, entre los cuales los *Kittim* ocupan el primer rango. La segunda parte, la más extensa, da en detalle las prescripciones para el combate, describiendo las trompetas que deben utilizarse, las insignias de las distintas unidades, el armamento y los distintos cuerpos del ejército, así como las tácticas a seguir en las escaramuzas y batallas. Distintas secciones contienen elementos rituales y reproducen las plegarias que deben recitarse en las distintas fases del combate. La última parte está incompleta, pero no cabe duda de que el escrito terminaba con la victoria definitiva sobre los *Kittim* y sobre todos los hijos de las tinieblas. De esta misma obra se nos han conservado seis copias más en la Cueva 4, una de las cuales, con partes resumidas y otras más amplias, parece destinada a la meditación personal y contiene un bello himno puesto en boca del arcángel Miguel. Este escrito misterioso, manual del combatiente y ritual de la guerra santa al mismo tiempo, nos descubre las aspiraciones y la tensión escatológica del grupo de Qumrán, los «hijos de la luz», los «desterrados del desierto», cuyo retorno marcará el comienzo del fin de esta lucha.

b) HIMNOS Y PLEGARIAS

Los Himnos (1Q H)

Hasta hace muy poco, el mejor representante de que disponíamos de las composiciones hímnicas de la secta era el rollo de los Himnos o *Hodayot* de la Cueva 1, una colección de himnos, salmos y acciones de gracias, de la que hay aún otras seis copias inéditas provenientes de la Cueva 4. Las composiciones que comprende son muy distintas unas de otras en cuanto a la extensión, el tono y el contenido. Toda una serie de ellas han sido reconocidas como obras del Maestro de Justicia que destila en ellas su profunda espiritualidad y la riqueza de sus sentimientos. Se trata de las composiciones que se presentan como «acciones de gracias individuales», en las que el salmista agradece a Dios el haberle librado de sus enemigos y perseguidores, o el haberle colmado de beneficios extraordinarios, habla de su juventud, de sus padres, amigos y discípulos, se presenta como el jefe de una comunidad y comunica sus más profundas experiencias personales. Otras varias composiciones de la obra, construidas como himnos de alabanza o como composiciones sapienciales, o escritas en un plural que designa claramente a la comunidad, tienen obviamente un origen distinto, aunque no siempre es fácil distinguir entre ambos tipos. En todo caso, nos hallamos ante una obra que prolonga la salmodia bíblica en la que se inspira, coloreándola con los acentos más personales que sólo aparecen en la mejor poesía de los profetas.

Cánticos del Sabio (4Q Shir)

Esta composición, de la que acaban de ser publicados dos ejemplares, está íntimamente relacionada con los *Hodayot,* hasta el punto de poder pensar que proviene de la pluma del mismo autor. Se trata de cánticos compuestos por un *maskil* (¿el Maestro de Justicia?) para alabar a Dios y para expulsar a la vez a los demonios, y en los que la angeleología y la demonología ocupan un lugar importante. Los distintos cánticos de la colección estaban numerados y provistos de títulos. La traducción del comienzo del primero de estos cánticos puede darnos una idea del contenido y estilo de la colección. Después de una introducción, que resume el contenido y la finalidad de la obra, el primer cántico comienza así:

Yo soy un sabio que proclama la majestad de Su esplendor,
para espantar y aterrorizar a todos los espíritus de los ángeles
de corrupción,
a los espíritus de los bastardos,
demonios, Lilit, buhos, chivos salvajes,
a los que golpean de improviso
para descarriar el espíritu de inteligencia.

Colección de Bendiciones (1Q Sb)

Una obra de tipo distinto, pero cuya utilización litúrgica tampoco está clara, es la colección de Bendiciones copiada en el mismo manuscrito que la Regla de la Congregación. Cada una de las bendiciones están introducidas por unas líneas en prosa en las que se indica el destinatario y se describen sus características. Las bendiciones conservadas se refieren a los miembros fieles que permanecen en la alianza, a los sacerdotes sadoquitas que mantienen la alianza e instruyen al pueblo, al Sumo Sacerdote que podría ser idéntico al Mesías de Aarón o sacerdotal, y al Príncipe de la Congregación «que renovará la alianza de la comunidad y restaurará el reino de su pueblo» y que no parece ser otro que el Mesías de Israel o guerrero. El cuerpo de las bendiciones está formado por breves fórmulas, con buenos paralelos en la literatura sectaria. No está clara su utilización litúrgica, aunque pueden muy bien estar destinadas a la liturgia de los últimos tiempos, como sugiere su unión a la descripción de la comunidad de los últimos tiempos.

Salmos Apócrifos

Por el contrario, no caben dudas en cuanto a la función litúrgica de toda una serie de composiciones que imitan y prolongan la salmodia bíblica y que se hallan mezcladas con los salmos canónicos en algunas copias del salterio qumránico. Se trata de una decena de composiciones, algunas de las cuales, como el Salmo 151, nos era conocida en griego, y otras, como los Salmos 154 y 155, se nos habían sido conservadas en siríaco; la mayoría sin embargo son completamente nuevas, como la Petición de Liberación, el Himno a Sión, el Himno a Judá, Himnos al creador, Himnos escatológicos, o los Salmos contra los demonios. Todas ellas tienen en común el haber sido mezcladas con Salmos canónicos y el haber sido así puestas bajo el manto de David a quien en algún caso se le atribuyen expresamente. A diferencia de los *Hodayot* todas ellas debieron ocupar un puesto en la liturgia de la comunidad que, como veremos a continuación, añadió un gran número de composiciones de su propia cosecha a las utilizadas habitualmente.

Plegarias cotidianas

Uno sólo de los manuscritos recientemente publicados, escrito sobre papiro y mal conservado, nos ofrece restos de las oraciones matutinas y vespertinas de la comunidad. El texto nos transmite las oraciones del primer mes del año, en el que la luna llena coincide con la fiesta de Pascua. Cada mañana el sol sale por una puerta numerada que sirve para indicar la fecha. La luna tiene cada noche una parte de luz y otra de tinieblas, que cambian progresivamente. Ambos elementos son utilizados en el texto para precisar la fecha a la que corresponden las oraciones de la tarde y la mañana. El esquema es fijo: Para la tarde se da la fecha y una oración de bendición en la que se mencionan las partes de luz y de tinieblas de la luna que corresponden a esa fecha; para la mañana, «cuando el sol sale para alumbrar la tierra», se da una oración semejante, en la que se incluye la puerta de la luz por la que el sol sale. Casi todas las bendiciones comienzan: «Bendito sea el Dios de Israel que...», y terminan: «La paz contigo, Israel».

Plegarias festivas

Un manuscrito de esta obra había sido publicado como «Colección de Oraciones Litúrgicas»; las tres copias que acaban de ver la luz, nos aseguran que se trata de una colección que contenía las oraciones que la comunidad recitaba en las distintas fiestas del año. Como es lógico, el contenido de las oraciones está en relación con la fiesta para la que fueron compuestas. Las copias son muy fragmentarias, pero pueden reconocerse las fiestas siguientes: Fiesta de las primicias del grano y de la oferta de la gavilla, la segunda Pascua, la fiesta de las semanas o pentecostés, el día del memorial o año nuevo, el día de las expiaciones y la fiesta de los tabernáculos. Las oraciones comienzan: «Acuérdate Señor que...», o «Bendito el Señor que...», y se terminan con: «Amén, amén».

Palabras de los Luceros (4Q DibHam)

Se trata de una colección de textos destinados a ser utilizados en la liturgia de los distintos días de la semana y de la que se nos han conservado incluso los títulos de las secciones correspondientes al miércoles y al sábado. La obra existe en tres ejemplares, uno de los cuales lleva escrito al dorso el título: «Palabras de los Luceros», título que ha dado origen a las más variadas interpretaciones. Para el editor, puesto que los luceros o lumbreras celestes pueden equivaler a los sacerdotes, instrumentos a través de los cuales los fieles reciben la luz, tendríamos aquí el «oficio sacerdotal». Para otros, habría que comprenderlo como «Palabras (para recitar a la salida de) los luceros». Y la obra contendría las oraciones que durante la semana eran recitadas al salir el sol. Para otros, el título equivaldría simplemente a «Palabras luminosas», indicando no los protagonistas, sino el carácter de estas oraciones. Otros, en fin, pretenden ver en la obra el predecesor de la oración *tahanum* que en la liturgia oficial judía se recitaba el sábado y que es una confesión nacional consoladora. Vista la importancia que las lumbreras celestes tienen en el pensamiento de la secta y la unión entre los astros y los ángeles, podría incluso pensarse que este texto es el reflejo qumránico de la liturgia astral y que en él cada día de la semana está puesto bajo la protección de un astro particular. De hecho, el comienzo del himno a recitar el sábado asocia en la alabanza común a todos los ángeles del firmamento, a los cielos, la tierra, el gran abismo, el Abadón, las aguas, las criaturas y todos los seres pensantes. Pero una adición conservada en el reverso del final de uno de los manuscritos precisa que las oraciones deben ser recitadas por los «voluntarios», y el contenido de las plegarias recorre toda la historia santa, de la creación al exilio, pasando por los Patriarcas, Moisés y David, vista desde los ojos arrepentidos de Israel. Sea lo que fuere, este texto nos ha conservado una de las más antiguas formas de la liturgia semanal con la que las gentes de Qumrán formulaban sus oraciones.

Liturgia angélica

Si no hay motivos sólidos para considerar que las Palabras de los Luceros están en relación con la liturgia astral, no hay por el contrario ninguna duda de que la composición designada como Liturgia angélica era concebida como una parte de la Liturgia celeste. Esta composición, conservada en seis manuscritos de la Cueva 4, uno de la Cueva 11 y otro encontrado entre las ruinas de Masada, es uno de los documentos litúrgicos más interesantes, puesto que refleja la concepción que las gentes de Qumrán se formaban de la liturgia que los ángeles celebraban los sábados en el templo celeste. La obra original contenía 52 composiciones, una para cada sábado del año. Las fórmulas de introducción conservadas permiten identificar los cánticos del primer sábado, del sexto, del séptimo, octavo y undécimo. Hay también un gran número de amplios fragmentos que no pueden asignarse a ningún sábado particular. A diferencia de otras composiciones qumránicas que suponen que en el templo celeste se celebran, como en el templo de Jerusalén, sacrificios, este texto nos presenta estos himnos angélicos de alabanza como sustitutos de los sacrificios, como el verdadero sacrificio, y nos permiten comprender que la celebración litúrgica en la que estos cantos eran recitados por la comunidad no sólo era una manera de asociarse al culto angélico, sino de sustituir los sacrificios del templo con el que habían roto por los mismos himnos que en la liturgia angélica ocupaban su lugar. Como puede suponerse, la angeleología de estos cantos está sumamente desarrollada. Una de sus características es que en gran parte los ángeles son descritos con una terminología sacerdotal. En cada uno de los siete santuarios del único templo celeste oficia un Sumo Sacerdote angélico, e incluso los ángeles servidores llevan títulos sacerdotales. Los cantos aparecen compuestos por un *maskil* y las introducciones indican la fecha en la que cada sábado cae según el calendario de Qumrán.

Estos son los más importantes manuscritos litúrgicos conocidos hasta ahora. Entre los publicados, hay otros muchos textos hímnicos o litúrgicos, pero tan fragmentarios que no podemos formarnos una idea exacta de la forma o del contenido. El conjunto nos muestra la importancia que la producción litúrgica tenía en una comunidad que prescribe a sus miembros:

> *Que los «muchos» velen en común un tercio de cada noche para escrutar el Libro, estudiar las prescripciones, y recitar las bendiciones en común* (1Q S vi, 7-8).

c) Interpretaciones bíblicas

Como el texto citado nos demuestra, junto con la oración, lo mejor de la energía y del tiempo de los sectarios estaba dedicado a «escrutar el Libro», a interpretar la Biblia. De aquí que el número de composiciones que debemos agrupar en este apartado sea muy grande y variado. Indicaremos, muy sumariamente, los grupos más representativos.

Pesharim

Con este nombre designamos toda una serie de composiciones, no menos de 18 obras distintas, que nos han transmitido la interpretación sectaria de los Profetas y de los Salmos. Todas estas obras tienen la misma estructura: el texto bíblico es citado literalmente descompuesto en pequeñas unidades que son seguidas de su «interpretación». Esta interpretación consiste en desentrañar el misterio encerrado en las palabras del texto para iluminar con él la historia pasada o futura de la comunidad. El procedimiento es aplicado rigurosamente, utilizando con frecuencia procedimientos exegéticos conocidos basados en asociaciones, juegos de palabras, descomposición de elementos, etc., y de una manera que puede parecernos completamente arbitraria en otras ocasiones. En el fondo, la justificación de este tipo de «exégesis» peculiar no es otra que el convencimiento de que el sentido profundo del texto sólo es conocido mediante la revelación que Dios ha dado al Maestro de Justicia:

> *El Sacerdote que Dios ha puesto en medio de la comunidad para interpretar el cumplimiento de todas las palabras de sus siervos los profetas, por cuyo medio ha anunciado Dios todo lo que va a pasar a su pueblo* (1QpHab ii, 8-10).

Otros Comentarios

El hecho de comentar el texto bíblico de una manera continua distingue los *pesharim* de otra serie de comentarios bíblicos, que podríamos denominar como comentarios temáticos, ya que en ellos se agrupan y comentan textos bíblicos procedentes de distintos lugares de la Biblia en función de una idea o de un tema determinado que los relaciona.

A veces, como en el Florilegio, en los Testimonios, o en la Cadenas de la Cueva 4, la interpretación viene dada por la simple yuxtaposición de textos, que sirve para dar relieve a determinadas ideas.

En otros casos los distintos textos agrupados por el autor son comntados a la manera d los *midrashim,* como el famoso texto sobre Melquisedec de la Cueva 11, o en la forma de los *pesharim,* como el documento denominado Edades de la Creación, que es en realidad un *pesher* sobre los últimos tiempos.

En otros casos, la agrupación de textos bíblicos y su interpretación está orientada a deducir normas de conducta o leyes propias a la secta, a la manera de los *midrashim halákicos,* como es el caso de las Ordenanzas de la Cueva 4.

Paráfrasis bíblicas

Otra forma frecuente de interpretación bíblica en Qumrán es la de re-escribir la historia bíblica parafraseándola, ampliándola, cambiando detalles, suprimiendo o añadiendo según los intereses del autor, intereses que puedan variar desde el deseo de entretener o embellecer un texto, a explicar más claramente sus implicaciones, responder a interrogantes, eliminar dificultades, o introducir determinadas ideas que se consideran importantes. Esta forma de exégesis popular, bien conocida por obras como las Antigüedades Bíblicas del Seudo-Filón o por el mismo Libro de los Jubileos, está representada en Qumrán por obras como Los Dichos de Moisés, las Bendiciones Patriarcales, Las Paráfrasis al Génesis y al Exodo, y, sobre todo, por el Génesis Apócrifo de la Cueva 1. Este bonito texto arameo, a veces leyenda amplificada, a veces traducción casi literal como los otros Targumim de Qumrán, nos narra en su primera parte la historia fabulosa del nacimiento y vida de Noé, y en la última parte conservada parafrasea el ciclo de Abraham.

El Rollo del Templo

Una forma distinta de re-escribir la Biblia es la que nos presenta el más grande de los manuscritos conservados, el Rollo del Templo. El texto abarca cuatro grandes temas: —una colección amplia de normas legales y religiosas, presentadas a veces como en el texto bíblico, pero en otras ocasiones con cambios, adiciones, supresiones o variantes, que tienden a dar una formulación más rigurosa que la tradicional y en ocasiones la contradicen claramente; —un elenco detallado de las distintas fiestas, incluyendo las fiestas sectarias que no aparecen en la Biblia, y una descripción de los sacrificios que las acompañan y del modo de ofrecerlos; —una descripción completa del modo de construir el templo con todas sus medidas y dependencias, que ocupa una buena parte de la obra; —el estatuto del rey, que desarrolla enormemente las prescripciones bíblicas. Todo a lo largo de su obra, el autor utiliza el texto bíblico, sobre todo el Deuteronomio, citándolo frecuentemente de una manera literal. Pero la re-escritura es tan profunda que la obra se presenta como una nueva Torá, un nuevo texto que pretende suplantar al texto bíblico. Mientras que en el Deuteronomio es Moisés quien se dirige al pueblo en nombre de Dios, a quien se nombra en tercera persona, aquí es Dios mismo el que da las órdenes, en primera persona, invistiendo a esta composición sectaria de la misma autoridad del texto revelado. En ningún otro texto de la época ha sido la reinterpretación del texto bíblico tan profunda ni ha llegado tan lejos como en éste, que en apariencia lo respeta rigurosamente.

Hemos querido presentar simplemente algunos aspectos de «la novedad de Qumrán». Otras muchas «novedades» sólo irán apareciendo al filo de los años. Por fuerza, un aspecto fundamental de estas «novedades» ha tenido que ser pasado en silencio, a pesar de que este aspecto constituye para muchos la novedad más interesante de los manuscritos. Me refiero a las relaciones de Qumrán con el Nuevo Testamento y con los orígenes del Cristianismo. Pero los aspectos que hemos señalado son suficientes como para dar razón al anuncio de primera hora que calificaba el descubrimiento de los manuscritos de Qumrán como «el más importante descubrimiento de manuscritos de los tiempos modernos».

NOTA BIBLIOGRAFICA

M. Delcor - F. García Martínez, *Introducción a la Literatura Esenia de Qumrán* (Madrid 1982); A. González Lamadrid, *Los descubrimientos del Mar Muerto* (Madrid 1973); A. Jiménez - F. Bonhome, *Los documentos de Qumrán* (Madrid 1975); L. Moraldi, *I manoscritti di Qumran* (Turín 1971).

Capítulo IV

EL JUDAISMO EN LA DIASPORA

por Antonio Piñero Saenz *

INTRODUCCION

El vocablo «diáspora» proviene directamente del griego *diasporá*, que significa «dispersión». Bajo este término se designa la disgregación voluntaria del pueblo judío fuera de las fronteras de Palestina como distinta de la dispersión forzada (o «exilio», en hebreo: *galut*) que sufrió este pueblo fundamentalmente tras el asalto de los asirios (caída del Reino del Norte, Samaría, bajo Sargón II: 721 a.C.) y babilonios (caída del Reino del Sur, Jerusalén, Nabucodonosor: 587 a.C.). Esta distinción, sin embargo, aunque basada en acontecimientos históricos se difumina en la práctica, pues, como veremos más tarde, los judíos dispersos voluntaria o semivoluntariamente se consideran como exilados, como peregrinos fuera de su patria verdadera, Israel.

Teniendo en cuenta que hasta la destrucción del Primer Templo (el de Salomón, en el 587 a.C.) los únicos asentamientos judíos conocidos históricamente son los que se mencionan en Jr 44, 1 y la colonia militar de la isla Elefantina, todos en Egipto, puede afirmarse que —aunque heredada de épocas anteriores— la Diáspora judía comienza y llega a su plenitud en el mundo grecorromano. Por ello nuestro tema se centra fundamentalmente en esta época, y abarca *grosso modo* cinco siglos: desde el III a.C. hasta el siglo II de nuestra era.

* Doctor en Filología Clásica y Catedrático de Filología Neotestamentaria. Universidad Complutense de Madrid.

1. EXTENSION GEOGRAFICA Y NUMERO DE POBLADORES

Obras de la época helenística nos hablan de la enorme extensión de la diáspora israelita. La Sibila judía cantaba así: *Toda la tierra y el mar entero está lleno de nosotros (judíos)*. Estrabón, el famoso geógrafo, afirmaba: *Este pueblo (judío) se halla presente ahora en todas las ciudades y es de verdad difícil encontrar algún lugar en el mundo habitado que no haya recibido a esta nación y en el que no haya hecho sentir su poder* (*Ant. Jud.* XIV, 115). Filón de Alejandría, en sus obras *Legación a Gayo* (Calígula) (281-83) y *Contra Flaco* (45-46), ofrece una vívida pintura de estos judíos fuera de su patria, que se han asentado en el Norte de Africa, Cartago, Libia, Egipto, que han ocupado una buena parte de la vecina Siria y han llegado, a través del Imperio Persa, hasta la lejana ciudad de Susa. Filón menciona también diversos asentamientos de judíos en Asia Menor, en Grecia y en Italia. Por los *Hechos de los Apóstoles* (2, 9-11) sabemos que habían llegado a Jerusalén para la fiesta de Pentecostés judíos procedentes de Mesopotamia, Capadocia, Mar Negro, Asia Menor, Cirene, Creta, Roma y Arabia.

Todas estas fuentes pintan, pues, una amplia población judía que vivía fuera de las fronteras de Palestina. Entre esta masa destacaban los asentamientos en Babilonia y Egipto. Hispania debía tener también alguna comunidad, pues de lo contrario no se explica el interés de San Pablo por realizar un viaje a nuestro país, ya que él comenzaba su tarea predicando en las sinagogas de los judíos (cf. Rom 15, 24-28).

Basándose en los cálculos de Bar Hebreo (un historiador cristiano, sirio, de procedencia judía del siglo XIII), Salo W. Baron estima que en el siglo I de nuestra era, sobre una población total de 8.000.000 de judíos, más de la mitad, cinco millones, debía vivir fuera de Palestina. De estos cinco, uno residía en Babilonia y otras regiones adyacentes no sujetas al yugo romano; el resto, cuatro, en el Imperio. Solamente en Egipto residía un millón, por lo que la ciudad más poblada de judíos, Alejandría, albergaba más israelitas que la mismísima Jerusalén. El resultado de esta expansión se traducía en que el 10% de la población del Imperio Romano era judía, llegando en el Este la proporción hasta el 20%. Para ponderar en su justa importancia esta cantidad baste pensar que en la Segunda Guerra Mundial ni siquiera Polonia se acercaba a tal densidad, siendo desde Austria

72

a Ucrania la proporción de judíos de un 6% respecto a la población total.

2. RAZONES DE ESTA EXPANSION

Una primera razón, obvia, es el aumento natural de una raza prolífica que consideraba a los hijos como el mejor don de Dios (cf. Sal 45, 17; 112, 2, etc.). Filón de Alejandría, en su *Contra Flaco*, 45, afirma, como primera razón de la diáspora, que Palestina no podía sustentar materialmente a todos los judíos, quienes debían necesariamente emigrar. El descontento con la política que los soberanos seléucidas habían impuesto en Palestina debió ser otra razón fuerte para retirarse a zonas como Siria o Anatolia. Por otro lado, mejores perspectivas económicas fuera de Israel —región fundamentalmente agrícola, no comerciante— debieron atraer a no pocos judíos. Por último, el proselitismo debió desempeñar un papel muy importante en el aumento del número de las comunidades. El afán propagandístico no era algo organizado desde las altas esferas israelitas, sino un producto espontáneo del celo por la Ley (cf. Mt 23, 15). La extensión misma del Helenismo y del Imperio romano, con dos *linguas francas,* el griego y el latín, chapurreados por casi todos, favorecía el contacto entre las gentes, así como el deseo que muchas almas experimentaban de abandonar un politeísmo poco lógico en pro de la adoración de un Dios único. Las aspiraciones religiosas de los prosélitos se veían reforzadas por motivaciones económicas, pues hacerse judío podía resultar más ventajoso que dañino. Una comunidad cerrada en sí misma ofrecía más posibilidades de ayuda, pues era bien conocida la solidaridad de los judíos entre sí. Por otro lado, para los comerciantes que se convertían al judaísmo se abrían ulteriores posibilidades de ampliación mercantil gracias al contacto con hermanos de fe dentro y fuera del propio país.

3. RELACIONES ENTRE LA DIASPORA Y PALESTINA

Por muy floreciente que fuera la vida en la Diáspora, Israel seguía siendo el punto de mira y el centro vital de las comunidades dispersas al que tendían continuamente los ojos, pues no en vano se sentían como extraños fuera de la patria. Los lazos de unión con la metrópoli existieron siempre en época helenística, pero se acrecentaron con el advenimiento de la *pax augusta,* que favoreció la circulación de todo tipo entre las diversas provincias del Imperio.

El primer foco de atracción para los dispersos era el Templo. En cada ciudad importante existía, es verdad, el centro de reunión semanal, la sinagoga, donde se leían y comentaban las Escrituras. Pero allí no podían ofrecerse los sacrificios que prescribía la Ley, por ejemplo después de los partos (Lv 12, 2-4.8; 2, 21-28). Una tendencia a interpretar laxamente la legislación permitía exonerarse de tales obligaciones sacrificiales, pero los más piadosos procuraban cumplir con esas obligaciones visitando Jerusalén alguna vez y ofreciendo varios sacrificios a la vez.

Desde el siglo I a.C. se había fijado la obligación de que los judíos residentes fuera de Palestina contribuyeran también, con el pago del medio siclo anual, al sostenimiento del Templo. Conocemos una serie de edictos imperiales desde Julio César y Augusto que reconocen a los judíos de la Diáspora el derecho a colectar esa suma y enviarla a Jerusalén por medio de unos delegados (Cf. Flavio Josefo, *Ant. Jud.* XIV, 185-267, XVI, 160-178). Parece que la norma se cumplía y del dinero que llegaba a la ciudad santa se sustentaba no sólo el Templo, sino otros servicios públicos como escribas, administradores, canalizaciones de agua y reparaciones de las murallas (Cf. *Talmud de Babilonia,* Ketuboth 105a; 106a). Un ejemplo de esta práctica se percibe en las colectas de Pablo entre los gentiles procedentes de la gentilidad, que luego enviaba a Jerusalén (1 Cor 16, 1-4; 2 Cor 8, 1-15).

Todos los judíos, en teoría, debían peregrinar a la ciudad tres veces al año, para tres fiestas religiosas: la de los Azimos, Pentecostés y la de los Tabernáculos (Dt 16, 16). Naturalmente esto era imposible de cumplir incluso en Palestina mismo. Pero al menos una vez en la vida se procuraba peregrinar a la ciudad santa, con lo que, de paso, se aportaba personalmente la ofrenda del medio siclo. Filón de Alejandría habla de «miles de hombres, procedentes de miles de ciudades, que acudían en masa a Jerusalén desde los cuatro puntos cardinales» (*De Specialibus Legibus* I, 69).

Los procesos judiciales ofrecían también posibilidades de contacto con la metrópoli. Aunque cada comunidad judía poseía su propio tribunal de justicia (en heb. *Bet Din*), los pleitos de mayor cuantía podían resolverse ante el Sanhedrín de Jerusalén. Del mismo modo, de esta suprema institución emanaban prescripciones y directrices religiosas que debían observarse también en la Diáspora. Así, por ejemplo, era en Jerusalén donde se proclamaba el comienzo de cada mes lunar y el momento en el que debía añadirse el mes intercalar para acomodar el año lunar vigente, de 354 días, al solar, de 365. La proclamación de cada luna nueva, mes tras mes, era muy importante para poder celebrar con exactitud las fiestas religiosas. La transmisión del acontecimiento se hacía por medio de hogueras, convenientemente distanciadas, o por el envío de rápidos mensajeros (Cf. *Misná,* Rosh ha Shana 2, 2.3). Conservamos noticias también de que ya en el siglo i de nuestra era los mismos mensajeros, o ciertos sabios peritos en la Ley, diputados al efecto, recorrían las comunidades de la Diáspora portando «encíclicas» del Sanhedrín o de sus jefes, inspeccionando el cumplimiento de la Ley y recogiendo los dones y ofrendas para el funcionamiento de las instituciones de la metrópoli. Esta costumbre era anterior, al parecer, al siglo iii d.C.

4. ORGANIZACION DE LAS COMUNIDADES JUDIAS

En este apartado debemos efectuar una nítida distinción entre las comunidades asentadas en el ámbito helenístico-romano y las del Oriente (Babilonia, Persia, Media).

a) Comencemos por estas últimas, de las que apenas nos han quedado noticias. Tras la vuelta del exilio a Palestina, en tiempos de Esdras y Nehemías, una gran cantidad de familias judías había permanecido en *Babilonia.* Pero no tenemos datos de su organización en esa época (siglo v y iv a.C.) ni tampoco de otras posteriores en lo que respecta a la población judía rural de esas zonas. De las ciudades, por el contrario, sí sabemos algo. La comunidad giraba en torno a una organización patriarcal, pues todo el poder de la comunidad, judicial y legal, era asumido por un *exilarca,* hereditario, que se decía descender de David mismo. Su poder era reconocido oficialmente por el Gobierno central y su autoridad era amplísima.

También tenemos información de algunas comunidades bajo los Seléucidas (los sucesores de Alejandro Magno en *Siria-Babilonia*). Por diversos documentos sabemos de la existencia de *katoikías* (asentamientos militares) a los que se les otorgaba una porción de tierra con el deber de defenderla militarmente. Gozaban de una autonomía local en cuanto a la elección de sus propios funcionarios. Estos eran sacerdotes y levitas que actuaban como jueces y gestores de los asuntos públicos. Normalmente los cargos eran hereditarios y pagados por los fondos reales a través de los impuestos. Pero había, además, una supervisión de la gestión a cargo de funcionarios reales. La vida de la comunidad transcurría conforme a los cánones de la ley judía a la que se acomodaba la legislación del Imperio.

b) En el *mundo helenístico-romano* tampoco tenemos datos sobre la organización de las comunidades rurales, pero sí algunos de las que habitaban en ciudades. Los documentos muestran diferencias entre Asia Menor, Egipto, Cirenaica (Libia) y Roma, por citar sólo las más principales. Pero en líneas generales, y simplificando los rasgos, las comunidades judías se organizaban del siguiente modo:

Existía, a veces, una asamblea de ciudadanos judíos, sobre la que reposaba el poder comunal y que tomaba resoluciones de orden interno, u honorarias, y que controlaba la recaudación de impuestos por medio de funcionarios interiores. Esta asamblea elegía una *gerousía* o consejo de ancianos, el cual, a su vez, era presidido por un jefe, el *gerousiarca* o *arconte* (en Alejandría «etnarca»). Las funciones de éste eran fundamentalmente judiciales y de transmisión de órdenes del poder exterior que afectaran a la comunidad. En otros casos (Berenice: Libia), el poder era detentado por 9 funcionarios, también llamados *arcontes,* pues no existía la asamblea. Estos funcionarios podían, en realidad, formar la *gerusía,* que controlaba la comunidad. Es muy probable que la organización de ciertas comunidades judías de Palestina fuera modelo para la diáspora. Según F. Josefo (*Ant. Jud.* IV, 214) había en cada comunidad importante de Israel siete magistrados (*arcontes*), con dos ministros ayudantes (*levitas*) y, además, tres funcionarios ejecutores. Esta estructura podría haberse reproducido en las diversas comunidades judías de la Diáspora.

En Roma, por el contrario, parece que la organización de la comunidad reposaba sobre la sinagoga, que estaba presidida por un jefe (religioso y con poderes judiciales) y un cierto número de funcionarios ejecutores. Algunos autores opinan que existía una organización central que coordinaba las diversas sinagogas de la ciudad, pero los datos no son claros. En otros lugares fuera de Roma la sinagoga tenía también

76

un jefe (*archisynagogós*), pero su tarea se circunscribía al ámbito religioso o intelectual, siendo lo judicial y administrativo tarea propia del *arconte,* o *arcontes,* y sus funcionarios subalternos.

Parece claro, además, que las diversas ramas productoras (artesanos y comerciantes) estaban organizados en guildas o gremios, y que la comunidad como tal poseía edificios de administración y reunión, aparte de las sinagogas. El oficio de *grammateús,* o escriba, no faltaba en ninguna comunidad, tanto para la redacción de documentos, referidos a las relaciones con las autoridades locales o a otras comunidades, como para el mantenimiento de un archivo documental. El puesto era muy honroso y, normalmente, hereditario.

Que la organización de los judíos era especial y que formaban en casi todas partes un grupo compacto y aparte se demuestra por la denominación de *políteuma* (organización política autónoma) que para designarlos aparece en algunas regiones como Alejandría y la Cirenaica.

Problemas continuos proporcionaba la relación entre la organización de la comunidad judía de cada ciudad y las instituciones de ésta. No todos los judíos poseían, ni muchísimo menos, el pleno derecho de ciudadanía, y la primera tensión consistía en la lucha por una igualdad de trato inherente al *status* político. A esto se añadía que los judíos se las ingeniaban para conseguir de los poderes centrales diversos rescriptos garantizando determinados privilegios tales como vivir de acuerdo con la Ley judía, mantenimiento de funcionarios y locales exclusivos— incluso mercados propios, donde se vendían alimentos *kasher* o puros—, exención de funciones en el servicio militar que fueran ofensivas contra su conciencia, etc. En estas circunstancias las ciudades intentaban privar a los judíos de tales privilegios, mientras éstos procuraban mantenerlos a la vez que gozaban del *status* general. En época romana estas diferencias de ciudadanía perdieron su valor, pues todos los habitantes de ciertas ciudades, incluidos los judíos, pasaban a ser ciudadanos romanos (recordemos el caso de San Pablo: *Hechos* 22, 25). Sin embargo los problemas subsistieron por igual en las regiones con ciudades de lengua griega, especialmente Egipto y la Cirenaica.

5. POLITICA DE LOS GOBERNANTES RESPECTO A LOS JUDIOS

En la zona oriental, bajo las diversas dinastías de aqueménidas, arsácidas y sasánidas, la política central era de absoluta tolerancia religiosa. No en vano la paz de estos imperios-conglomerado se basaba, entre otras medidas, en un respeto por la religión de cada componente étnico.

En el mundo helenístico la situación fue variable en los diversos reinos. Mientras los Seléucidas intentaron por todos los medios cohesionar religiosa y culturalmente el Imperio implantado la religión sincretista helenística y las costumbres griegas (lo que llevó, en tiempos de Antíoco IV Epífanes, a la revuelta macabea), los Tolomeos de Egipto practicaron, en general, una política de tolerancia. Tras algunas dificultades con Tolomeo Filopátor (222-204 a.C.) debido a una política religiosa intransigente en Alejandría reflejo de la cual es el apócrifo libro 3° de los Macabeos, la tolerancia respecto a los judíos y la influencia política de éstos alcanzó su cenit con Tolomeo VI Filométor (180-145 a.C.). La inmigración judía a Egipto creció enormemente por la presión ejercida por Antíoco IV Epífanes, pero fue acogida calurosamente por el monarca egipcio, que era amigo del filósofo judío Aristóbulo. Los judíos ocuparon enseguida altos cargos incluso en el ejército y se les permitió construir una especie de sustituto del Templo de Jerusalén, que por aquella época (160 a.C.) había sido profanado por los Seléucidas. Su sumo Sacerdote era Onías IV, hijos de Onías III, asesinado en Jerusalén. Los judíos, «en tierras de Onías» se organizaron magníficamente, incluso como cuerpo militar, e intervinieron activamente en la política de Egipto.

Durante la dominación romana la política general de los emperadores fue también de tolerancia, con las sabidas excepciones de Calígula y Adriano (el primero intentó entronizar su imagen, divina, en el templo de Jerusalén, y el segundo prohibió la circuncisión; cf. E. M. Smallwood, *Jews under Roman Rule,* 429 ss.). Varios eran los motivos que sustentaban la tolerancia: 1) Era política general del imperio no interferir en absoluto en lo religioso. 2) El conservadurismo romano tendía a conservar el *status* de las diversas comunidades que iban engrosando el imperio. 3) No era conveniente molestar a los judíos por ser población numerosa y bien situada económicamente. 4) Cualquier ataque local a los judíos podía propagarse a todo el imperio, pues era bien conocida la unión entre las diversas comunidades. 5) Los judíos eran, en general, fieles a sus obligaciones ciudadanas, por lo que ante la alternativa de tolerancia o persecución religiosa más revueltas, se optaba por lo primero (Cf. 'Diáspora', en *Enc. Jud.* III, cols. 13-14).

Estas circunstancias favorables no impidieron, sin embargo, graves problemas del poder con los judíos (en Alejandría y la Cirenaica bajo los emperadores Claudio y Trajano), y que el descontento general de la Palestina ocupada por los romanos condujera a la gran catástrofe del 70 y a la total aniquilación del 135 d.C.

6. ECONOMIA Y SOCIEDAD

La estructura económica y social de la Diáspora oriental (la babilónica) era de lo más parecido a la de Palestina, es decir, fundamentalmente rural, más unos pocos comerciantes, especialmente de sedas, por lo que no ofrece especial interés. En la Diáspora occidental, helenístico-romana, el panorama era más variado. En primer lugar debemos desterrar la opinión común de que los judíos de la Diáspora eran —casi todos— banqueros y comerciantes. Los había, sin duda, e importantes. Pero esa generalización es un falseamiento de la realidad. Había, por ejemplo, un buen número de judíos que, siguiendo una tradición ya antigua (siglo v: Elefantina), servían como guerreros mercenarios en los ejércitos de Egipto o Macedonia. Otra buena cantidad eran agricultores, ya fueran retirados del servicio militar, ya trabajadores en pequeños fundos propios o por cuenta ajena. Una inmensa mayoría de los judíos eran artesanos (ceramistas, carpinteros, tejedores, etc.). Tenemos noticias, como antes apuntábamos, de su excelente organización.

Sobre el comercio judío apenas si tenemos noticias más que de Alejandría. Filón (en *Contra Flaco,* 57) habla de un número elevado de judíos ricos que perdieron sus propiedades (almacenes de mercancías y barcos) después de la gran revuelta antijudía del 38 d.C. en su ciudad. Los judíos dedicados a la usura eran muy pocos, así como los banqueros, sobre quienes tenemos noticias desde el siglo v a.C. en Babilonia. Su riqueza proverbial hizo que tales personajes recibieran una especial mención en nuestras fuentes, que silencian otras actividades más comunes (*Ant. Jud.* XII 190; XVIII 159, 259; XIX 276; XX 100).

En el Egipto tolemaico numerosos judíos se distinguieron como funcionarios al servicio de la corona. Otros muchos tenían el desagradable oficio de publicanos o recaudadores de impuestos .A pesar de la mala fama de que gozaban en Palestina era un puesto apetecible en la diáspora ya que situaba al recaudador muy por encima del paisanaje. Esclavos judíos, tanto públicos como privados, había poquísimos ya que las comunidades consideraban un deber rescatar a sus correligionarios.

De esta brevísima panorámica puede concluirse que los judíos de la Diáspora helenística participaban en todos los ámbitos de la vida económica y que en este terreno estaban muy lejos de formar un getto.

7. VIDA CULTURAL Y SOCIAL

El ámbito cultural y social judío estaba fundamentalmente centrado en lo nacional-religioso. En la diáspora occidental, naturalmente, existía entre los habitantes una buena capa exterior de helenización o romanización. Se translucía ésta en los nombres griegos o romanos que portaban muchos judíos, en el hecho de que muchos asistían a las escuelas imperiales, recibiendo una educación helenística, o en la adopción de sistemas organizativos helenísticos (*arcontes, gerusía,* etc.), Pero la fuerza de lo religioso impedía una integración profunda en las sociedades con las que convivían. De hecho las noticias sobre incorporación total, es decir apostasías o abandonos del judaísmo, son verdaderamente escasas. A pesar de todo era muy importante, como fuerza moldeadora, el idioma. Aunque los *óstraca* (restos de cerámica con inscripciones) escritos en arameo nos indican que la lengua materna, semítica, no se había perdido del todo, la inmensa mayoría de la diáspora occidental hablaba, escribía o pensaba en griego o latín. Una buena prueba de ello fue la gran empresa, llevada a cabo por el judaísmo alejandrino, de traducir al griego las Sagradas Escrituras hebreas. La *Epístola de Aristeas* nos habla de cómo nació tal versión, luego conocida como «la de los Setenta» (Septuaginta). No cabe duda alguna, que ese esfuerzo de traducción (el primero que de un modo oficial se realizaba en el mundo occidental) estaba dirigido hacia el consumo religioso interno, pero también debió impulsar a ello el deseo de acercar las Escrituras al mundo gentil. Toda la obra de uno de los filósofos más brillantes que han tenido los judíos, Filón de Alejandría, estuvo orientada precisamente a tender un puente entre la religión, ley y ética judías y la filosofía más elevada del helenismo. Para Filón, la sabiduría más profunda se encontraba en las Escrituras hebreas y sus preceptos dejaban entrever las concepciones más elevadas sobre el hombre y sus relaciones con Dios y sus propios congéneres. Por ello parecía conveniente presentar a los ojos de los gentiles la estructura racional de la revelación.

Otras producciones de los judíos de la diáspora pertenecen también al ámbito más o menos apologético, o simplemente religioso. Así, los Oráculos Sibilinos judíos, las imitaciones de poemas del gran Orfeo, la novela de José y Asenet, las máximas morales del Pseudo Focílides, la literatura de «testamentos» o exhortaciones espirituales a la hora de la muerte, como el Testamento de los Doce Patriarcas, hijos de Jacob, o las representaciones de «misterios judíos» de Ezequiel, el trágico. Pero los judíos de lengua griega nos han legado también otras obras literarias de ámbito filosófico, como la de Aristóbulo, históricas, como las de Artápano, Cleodemo Malco, Pseudo-Hecateo, Demetrio el Cronógrafo y sobre todo la gran obra de Flavio Josefo (salvo esta última, desgraciadamente, no quedan más que fragmentos: editados por A. M. Denis (Leiden 1970: *Fragmenta pseudoepigraphorum quae supersunt graeca*), e incluso épicas, como las de Filón, el épico y Teódoto.

Sobre estos aspectos de la vida cultural no tenemos demasiada información. Sabemos que la música de proveniencia pagana era aceptada y utilizada regularmente en la liturgia sinagogal, especialmente en la Diáspora, hasta la destrucción de Jerusalén, en el 70 d.C. El teatro griego parece que ejerció poca influencia entre los judíos. Desde luego casi nada en Palestina y poco más en la diáspora. Ciertamente no existía ninguna prescripción expresa que prohibiera la asistencia a esos espectáculos, e incluso en Mileto había un lugar «reservado para los judíos» en el teatro municipal, lo que da idea de un cierto interés por este fenómeno cultural, al menos en esa zona. Pero no debía ser la tónica universal.

La arquitectura griega había sido plenamente aceptada tanto en la Diáspora como en la misma Palestina. Señala S. W. Baron cómo un judío tan estricto como Rabbí Eliezer ben Hircano vivía en una casa construida totalmente al estilo griego, y el mismísimo Templo, reconstruido y embellecido por Herodes, llevaba todas las marcas del diseño y armonía arquitectónicas griegas. Lo mismo puede decirse de la pintura helenística que proliferó —a pesar de la prohibición bíblica de fabricar imágenes— tanto en las sinagogas como en las tumbas judías de la Diáspora.

8. EL ANTISEMITISMO

La vida de los judíos de la Diáspora se veía en múltiples ocasiones sujeta a ataques. Es evidente que no es el antisemitismo a ultranza un fenómeno reciente. Las fuentes nos informan de continuos problemas de las ciudades helenísticas con esas comunidades de judíos un tanto altaneros que vivían relativamente apartados del trato común con los demás mortales. Desde la época del sacerdote egipcio Manetón (siglo III a.C.), el primer escritor antisemita que conocemos, nuestras fuentes recogen las acusaciones que se propalaban contra los judíos. Estas iban desde las quejas por el desprecio israelita hacia el resto del género humano, no judío (*misoxenía,* u odio al extraño, y la *amixía,* no permisión de matrimonios mixtos), hasta la mofa por la práctica de una religión bárbara con extrañas prácticas, como la circuncisión, pasando por truculentas historias, como aquélla de que una vez al año los judíos mataban a un extraño a su raza y devoraban sus entrañas a trocitos, de modo que el odio hacia los profanos quedara bien prendido en su interior (cf. Josefo, *Contra Apión* II 91 ss.).

Las razones que explican este fenómeno del odio hacia lo judío, bastante extendido en la Antigüedad, pueden ser de orden económico, religioso o político. No es muy verosímil que fuera la primera de estas posibles causas, la económica, ya que los judíos no formaban un bloque de especialmente ricos en oposición a otros, particularmente pobres. Tampoco los motivos estrictamente religiosos (salvo algunas ocasiones) debieron formar la base del antisemitismo, por la sencilla razón de que el pluralismo religioso era absolutamente consustancial con el mundo helénico-romano y con el imperio oriental. La base del antisemitismo se halla más bien en el ámbito de las razones políticas, coloreadas, es verdad, de tintes religiosos. Según Tcherikover, debía ser funesto para los judíos el que no se parecieran como grupo a otros círculos de extranjeros (*metecos*) de las ciudades helenísticas. Cuando tales *metecos* no son numerosos, viven tranquilos y no presentan especiales exigencias, las ciudades los aceptaban sin problemas.

Pero no era éste precisamente el caso de los judíos. Poseían notables privilegios (como antes dijimos) concedidos por instancias superiores a las ciudades (reyes, emperadores) y gozaban de exenciones de deberes ciudadanos (por ejemplo, no podían contribuir con dones económicos a la construcción y mantenimiento de gimnasios, juegos atléticos, templos y otros edificios públicos, ya que podían utilizarse para cultos paganos). Los judíos, en general, no querían aceptar altos cargos públicos, ya que la religión oficial, pagana, y sus deberes iban inherentemente conexos con el desempeño de tales cargos. Tampoco podían integrarse plenamente en la ciudadanía, tanto griega como romana, puesto que ello era incompatible con una lealtad plena a su religión. Los judíos eran, pues, sentidos como un cuerpo extraño. El antisemitismo no fue más que la expresión de una profunda falta de entendimiento entre dos comunidades, del poco deseo de asimilación que el grupo judío mostraba hacia el pueblo con el que convivía.

Ante los ataques del espíritu antisemita no es nada extraño que en la literatura de la Diáspora judía se refleje de vez en cuando ese triste sentimiento de vivir de prestado, fuera de la verdadera patria, y el anhelo por volver a ella. El autor del Libro IV de Esdras se queja así ante el Creador: *¿Acaso han sido mejores las acciones de Babilonia* (los pueblos gentiles en general) *que las de Sión* (los israelitas)? *¿Ha habido algún otro pueblo que te conozca, aparte de Sión?*... *Si el mundo ha sido creado por nosotros, ¿por qué no poseemos nuestra propia tierra? ¿Cuánto habrá de durar esta situación...?* (3, 23-4; 6, 59). Pero al mismo tiempo existían otros judíos (como Filón o F. Josefo) que consideraban la vida en la diáspora como algo normal, e incluso beneficioso porque así se contribuía a la expansión de la verdadera religión con la conquista de prosélitos. En general puede afirmarse que a pesar de los cantos a la vuelta desde la Diáspora a la tierra (cf. Salmos de Salomón, 17, 31; Test. XII Patr. Test. Judá 25; 1 Henoc (etíope) 57, 1; 1 Bar 5, 5, etc.), las comunidades judías preferían vivir donde tenían más fácil el sustento, es decir, fuera de Israel.

9. LA DIASPORA PERMANENTE

Fue precisamente durante la época que nos ocupa cuando se produjeron graves acontecimientos político-militares que contribuyeron definitivamente a la dispersión del pueblo judío. Así la gran guerra del 67-79 d.C., que culminó con la destrucción de Jerusalén, y su Templo, por el emperador Tito; la gran revuelta del norte de Africa, especialmente Egipto y la Cirenaica, más Chipre y Mesopotamia en el 117, bajo Trajano, que contribuyó con su derrota a una mayor dispersión del pueblo; y especialísimamente la guerra de Bar Kokhba (131-135) que acabó en una verdadera catástrofe y aniquilación del pueblo, en una nueva destrucción de Jerusalén y su conversión en una ciudad pagana, Aelia Capitolina, y en la prohibición a los judíos de volver a su tierra, Israel. Incluso el país fue obligado a cambiar de nombre pasando a llamarse Palestina (¡oh ironía! = tierra de los *philistim* o filisteos», los grandes enemigos de Israel). Sólo en Babilonia puede decirse que continuaba una comunidad judía ya secular y estable, comunidad que habría de contribuir poderosamente a la cohesión y sustento del judaísmo futuro gracias a la labor de sus sabios y escribas, que compilaron ese monumento de la tradición judía que es el Talmud de Babilonia.

La Diáspora, de hecho, dura hasta el día de hoy. Hasta 1948, con la llamada «Guerra de la Independencia» no volvió a existir un estado israelita, por lo que el pueblo judío ha vivido durante casi dos milenios en perenne exilio y diáspora. La inmensa mayoría, sin embargo, goza también hoy fuera de la metrópoli —como en la época helenística— de una situación bastante más cómoda, que si viviera dentro de los límites de la «tierra prometida», pues «los duelos con pan son menos». La vida en la dispersión fue, y es, para la mayoría de los judíos —a pesar de los odios y persecuciones— mucho más placentera que la vuelta a la madre patria, la tierra de Israel.

NOTA BIBLIOGRAFICA

E. Schürer, *A History of the Jewish People in the time of Jesus* (Nueva York 1961); V. Tcherikover, *Hellenistic Civilization and the Jews* (Filadelfia-Jerusalén 1961); H. Graetz, *History of the Jews* (Filadelfia-Jerusalén 1956) vols. I y II; E. Mary Smallwood, *The Jews under Roman Rule* (Leiden 1976); S. W. Baron, *A Social and Religious History of the Jews,* 2 ed. (Nueva York-Londres 1962), vol. I y II; S. Safrai - M. Stern (eds.), *The Jews People in the First Century* (Assen 1974), vol. I.

Capítulo V

LOS JUDIOS DE ALEJANDRIA
Y LA VERSION DE LOS SETENTA

por Julio Trebolle Barrera *

I

Helenizantes y judaizantes

Fue precisamente un autor judío, Filón de Alejandría, el primero en usar el verbo *aphellênizein* en sentido transitivo, con un significado completamente nuevo. El significado usual de *hellênizein* era el de «hablar el griego correctamente» y, en uso transitivo, el de «traducir al griego». Filón viene a designar con este término el cumplimiento de todo un programa de acción cultural: la «helenización de los bárbaros». En su obra *Legatio ad Gaium* (n. 147), Filón hace la apología del emperador Augusto, quien «helenizó las regiones más importantes del mundo bárbaro».

También el sustantivo raro *hellênismos,* en una acepción amplia que alcanza a significar el estilo de vida y la cultura de los griegos, aparece por vez primera en un escrito judeo-helenístico. Aparece sin embargo en un contexto y con un propósito justamente opuestos al uso de *hellênizein* en Filón. Si éste encomiaba la obra de helenización de los bárbaros, el autor desconocido del segundo libro de los Macabeos reprocha a Jasón, sumo sacerdote y líder del partido helenista,

* Doctor en Filología Semítica y Profesor del Departamento de He-breo-Arameo. Universidad Complutense de Madrid.

el querer *cambiar a sus compatriotas al modo de vida helénico* (4, 10) y promover *el florecimiento del helenismo y el incremento de lo extranjero* (4, 13). El término *hellênismos* adquiere un matiz peyorativo; el programa de helenización viene rechazado como grave amenaza para la supervivencia de las tradiciones y de la religión judías.

Frente a los «helenizantes», la clase alta y sacerdotal fundamentalmente, surgen los «judaizantes» (*ioudaizein*), los macabeos y los hasideos, militares y pueblo llano religioso. «Asimilación» a la cultura griega imperante, y rechazo de la misma o afirmación de los valores patrios y religiosos frente a la irrupción de lo extranjero y pagano, son las dos tendencias contrapuestas que anidan en la conciencia colectiva de Israel y en el corazón de cada judío, tanto en situación de diáspora como también en la propia metrópoli palestina.

A la conciencia de superioridad del griego sobre el bárbaro en general y sobre el semita y judío en particular, corresponde la conciencia de pueblo elegido por la que Israel se siente contrapuesto y superior a todos los demás pueblos de la tierra. Pero el judío, sobre todo en diáspora, se ve obligado por los condicionantes externos, y se siente incluso tentado desde su propia intimidad, a adoptar una cultura griega, que en múltiples aspectos le deslumbra y le atrae. En unos determinados momentos, en el siglo III a.C., y en unas determinadas capas sociales, la aristocracia y las familias sacerdotales, predominará la tendencia a la asimilación y a la «helenización». Como reacción, a partir del segundo tercio del siglo II, y en otras capas sociales, el laicado religioso y modesto, se producirá un movimiento de vuelta a las esencias patrias y de la religión judía. En la metrópoli palestina y en particular en Jerusalén estas tendencias se hacen muy extremadas. En la diáspora, en especial en Alejandría, se impone la necesidad de un mayor equilibrio. En el siglo I de nuestra era, Filón de Alejandría representa ya el modelo equilibrado del cosmopolita helenizado y a la vez del judío nacionalista, celoso de su identidad que le diferencia del griego y del egipcio.

La historia de la traducción de los LXX, y en general de la literatura judía de la época helenística, es un reflejo fiel de aquellas tendencias y corrientes, que se entrecruzan en la conciencia y en la vida social del pueblo judío. Es significativo que sea en la diáspora y precisamente en Alejandría donde se lleve a cabo en época muy temprana (a mediados del siglo II probablemente) la obra magna de traducir al griego la *Torá* hebrea, la Ley de las judíos. Es igualmente significativo que sea en la metrópoli, en Palestina, donde en una época ya tardía (por el cambio de era) se inicie un proceso de revisión de las traducciones alejandrinas, con un propósito semitizante, que alcanza tanto a la lengua y al estilo como al contenido y pensamiento reflejados en aquellas traducciones. Los descubrimientos de Qumrán, en particular, del rollo griego de los Doce Profetas, hallado en Nahal Hever, han permitido conocer la existencia desde comienzos del siglo I d.C. de un movimiento de reacción semitizante y de revisión de las traducciones griegas anteriores. Este movimiento adquirió pleno desarrollo a finales del siglo I e inicios del II en la versión extremadamente hebraizante de Aquila.

En lo que sigue precisaremos con mayor detalle esta historia de interrelación entre la vida social y la literatura judía alejandrina (literatura de traducción de los LXX) durante la época helenística hasta la época romana.

1. EL PROCESO DE HELENIZACION (siglos III-II a.C.)

Tras las campañas de Alejandro Magno se trató de mantener por todos los medios la absoluta superioridad militar y política, que disfrutaban los griegos sobre las poblaciones autóctonas. En las nuevas *poleis,* como Alejandría, y en las colonias militares, se practicaba una verdadera política segregacionista. Los derechos civiles y, en particular, la educación gimnasial alcanzaban exclusivamente a la población de origen griego-macedonio. El recelo hacia la mezcla con la población indígena impedía la proliferación de matrimonios mixtos. En el período del «primer helenismo» (siglo III a.C.), se exigía a las personas de origen egipcio un permiso especial o visado para entrar en Alejandría. Los judíos llegaron a representar y se consideran allí como una tercera fuerza entre griegos y egipcios. En múltiples negocios pretendían ejercer una función de bisagra. Sin embargo, a pesar de haber adoptado la lengua griega y haber asimilado incluso la cultura helénica, los judíos no eran considerados ciudadanos de pleno derecho. Ello por razones tanto políticas como religiosas. Resultan tendenciosas las referencias de Flavio Josefo a una pretendida igualdad de derechos (*isopoliteia*) de los judíos en Alejandría y Antioquía. Claudio y Nerón se negaron a reconocer tal igualdad de derechos a los judíos de Alejandría y de Cesarea, a pesar de los desvelos de éstos por conseguirla. En el siglo II a.C. se percibe una mayor inflexión en el favor hacia egipcios y judíos «helenizados». El aflujo de nuevos inmigrantes griegos desciende por entonces considerablemente. Ello permite el surgir de una nueva clase, una aristocracia local «greco-egipcia», netamente diferenciada, por lengua y cultura, de la población bárbara agrícola y artesanal. Por otra parte, los Tolomeos se hubieron de apoyar más en los mercenarios extranjeros, entre los que destacaban los de origen semita y en particular judío.

El proceso de helenización tiene en un principio, durante el siglo II, un carácter político y social más acentuado. A partir de los comienzos del siglo II adquieren mayor significación los componentes culturales: la literatura, la filosofía y la religión.

El ejército y las colonias militares fueron los primeros puentes tendidos entre las orillas griega y semita del Mediterráneo. Según F. Josefo, judíos y samaritanos formaban en las filas del ejército de Alejandro en Egipto (*Ant.* II, 321.339). Tolomeo I Soter (305-282 a.C.) deportó a Egipto gran número de prisioneros; a 30.000 los enroló en su ejército (*Carta de Aristeas* 12-14). La diáspora judía se incrementó también en el aflujo de esclavos y artesanos procedentes de Palestina. Estos judíos se helenizaron con gran rapidez. El papiro Cowley 81 del 310 a.C. cita multitud de nombres semitas de judíos, junto a otros nombres griegos; ello es signo de los contactos establecidos entre los dos grupos étnicos. Sin embargo en los papiros de época posterior, el porcentaje de nombres semitas correspondientes a colonos judíos no alcanza más que el 25%; el resto de los judíos citados lleva nombre griego (Apolonio, Artemidoro, Demetrio, Dionisio, Eraclea...); en algunos casos se citan dos nombres, semita y griego, lo que constituye el primer paso en la transición de uno a otro. Los clerucos judíos gozaban de un *status* más elevado, próximo en ocasiones al de los macedonios.

2. Situación de los judíos en Alejandría

Son muy escasos los datos disponibles respecto a la situación de los judíos en Alejandría en la primera época helenística. Si existían, como sabemos, mercaderes y recaudadores judíos de gran fortuna en el Alto Egipto, cabe suponer que lo mismo aconteciera en Alejandría. Sin embargo los judíos en Egipto no pertenecían a las clases más pudientes, sino antes bien, a las más modestas. La tentación de asimilación al mundo griego era mayor naturalmente entre las clases elevadas. El único ejemplo disponible referido a los primeros tiempos es el de un tal Dositeo, hijo de Dimilo, que salvó la vida a Tolomeo IV Filopátor (222-205 a.C.) en el atentado perpetrado contra éste por un desertor antes de la batalla de Rafia. Este personaje judío desempeñaba seguramente por el año 240 a.C. el cargo de *hypomnématographos,* superintendente de la secretaría de la corte; en el 225/4 acompaña a Tolomeo III Evergete (246-222 a.C.) en viaje por Egipto, y en el 222 aparece como sacerdote de los Tolomeos. Dositeo es el típico judío de la diáspora, totalmente asimilado al ambiente griego de Alejandría. No sin razón, el libro tercero de los Macabeos lo presenta como *judío de origen, (que) apostató más tarde de la Ley y abandonó la fe de los padres* (3 Mac 1, 3).

a) *Literatura judeo-helenística*

A partir del siglo II a.C., el proceso de helenización se extiende a los campos de la literatura, el pensamiento y la religión. El uso de la lengua aramea decae rápidamente, o se reduce al ámbito familiar. El griego se impone en todo tipo de relaciones. El ascenso en la escala social pasaba por el conocimiento del griego. Los escasos restos de literatura judeo-helenística del período tolemaico (siglos III y II a.C.) que han llegado hasta nosotros, testimonian el grado de «helenización» alcanzado por los dirigentes espirituales de la diáspora alejandrina. No son escritos anónimos como los de sus hermanos de raza y religión en Palestina (a excepción del libro de Ben-Sira). La literatura judeo-helenística desarrollada en Alejandría conocía múltiples géneros literarios. Respondía a las exigencias intelectuales de una aristocracia judía en ascenso, que ya no se contentaba con la literatura piadosa procedente de Palestina. Exaltaba, eso sí, al pueblo de Israel, su historia, su ley y su religión, y traducía su gran literatura clásica (la versión de los LXX), sin olvidar la literatura contemporánea (la traducción de Ben-Sira por un nieto del mismo Ben-Sira). Más adelante hablaremos de este trabajo de traducción.

Algunas obras del judeo-helenismo alejandrino nos han llegado sólo en fragmentos recogidos por el romano Alejandro Polyhistor o por autores cristianos como Eusebio de Cesarea.

Por la época de Tolomeo IV Filopátor (222-205 a.C.), Demetrio escribió una obra de historiografía, que pretende demostrar la antigüedad de la religión judía. Artápano escribe una novela que hace de Moisés el descubridor de la escritura y fundador de la religión egipcia, e indirectamente también de la griega. Para el autor de tragedias, Ezequiel, que imita el estilo de Esquilo y Eurípides, la historia no está dirigida por el destino que favorece a los griegos, sino por la providencia del Dios que salva a Israel en el Exodo de Egipto.

El samaritano Teodoto y Filón el Viejo componen poemas épicos en hexámetros arcaizantes, para ensalzar las glorias de las ciudades de Siquén o de Jerusalén. Los Oráculos Sibilinos (del 140 a.C.) constituyen toda una interpretación de la historia del mundo. Ofrecen una interpretación evemerista de la teogonía de Hesíodo; los titanes y divinidades del Olimpo vienen a ser los primeros reyes que trajeron la guerra sobre la humanidad después de Noé. Los Oráculos Sibilinos, junto con el libro de Daniel, por la relación que establecen entre la historia universal y la historia bíblica de salvación, contribuyeron en gran medida a la configuración de las filosofías de la historia del medioevo y de la modernidad occidental. El filósofo y apologeta Aristóbulo es el iniciador de la interpretación alegórica del Pentateuco. Según Aristóbulo, los filósofos Pitágoras y Platón tuvieron conocimiento de la ley mosaica. Filón desarrolló este tema, por el que se demostraba la mayor antigüedad y la supremacía de la religión y cultura de los israelitas sobre la de los griegos. Desde Aristóbulo a Filón se desarrolló toda una escuela de pensamiento filosófico, caracterizada por el uso del método alegórico. La Carta de Aristeas ensalza la cultura griega y la monarquía tolomea, pero constituye también toda una apología de la Ley de los judíos. La aristocracia judía de Alejandría se veía obligada a esta doble fidelidad a la corte tolomea y a su identidad judía. Jasón de Cirene escribió una obra en cinco libros, que nos ha llegado resumida en el segundo libro de los Macabeos. Relata con apreciable rigor histórico la revuelta de los macabeos contra los intentos de reforma helenizante en Palestina. Finalmente, una literatura judía esotérica sobre magia y astrología, que hacía de Moisés el primero y más grande de los magos, alcanzó (al igual que los Oráculos Sibilinos) un influjo más allá de los límites del judaísmo.

La gran literatura judeo-helenística no tenía primordialmente intenciones proselitistas hacia el mundo griego circundante; sus pretensiones serían más bien apologéticas. A pesar del alto grado de helenización alcanzado con la integración en la cultura e instituciones griegas (gimnasio, teatro, juegos, lectura de los clásicos...), la diáspora alejandrina no se asimiló totalmente ni se diluyó en el ambiente helenístico pagano. El judío seguía guardando el sábado, se abstenía de alimentos impuros y era asiduo de las numerosas sinagogas de Alejandría. La comunidad judía de Alejandría constituía un grupo social semiautónomo, designado con el término *politeuma,* con funciones administrativas, financieras y judiciales propias (*Carta de Aristeas,* 310). Nunca llegó a producirse, o al menos no tenemos pruebas de que se produjera en esta época, un sincretismo judeo-pagano. La supuesta «gnosis judía» es un producto tardío, posterior a Filón y derivado del campo de la magia y astrología.

b) *Filón de Alejandría y su obra*

La máxima figura del judaísmo alejandrino es Filón, contemporáneo de Jesús de Nazaret. Sus escritos filosóficos, junto con los de Aristóteles, son los más antiguos que se nos han conservado en algo más que fragmentos sueltos. La interpretación de la obra de Filón es sin embargo muy discutida. ¿Hasta qué punto es representativa la figura de Filón del judaísmo de la diáspora helenizada? Filón fue el emisario enviado por la comunidad alejandrina en el año 39, cuando era ya «de edad avanzada», para solicitar la protección de Calígula, tras la persecución desatada contra los judíos de Alejandría por haberse negado a rendir culto a las imágenes del propio emperador (*De Legatione ad Gaium*). Filón participó también en el liderazgo de la comunidad judía alejandrina. Entre las obras de Filón, unas tienen carácter apologético (*Apologia pro Iudaeis, De vita contemplativa, De vita Mosis*), otras intentan exponer más sistemáticamente la tradición bíblica judía al modo del pensamiento griego (*De opificio mundi, De Abrahamo, De Iosepho, De Decalogo, De specialibus legibus, De virtutibus, De praemiis et poenis*). La obra cumbre de Filón es la *Legum Allegoria,* escrita para inspiración de los que llama «iniciados». Completan sus obras las *Quaestiones et Solutiones in Genesim* y *Quaestiones et solutiones in Exodum,* conservadas sólo fragmentariamente. Filón, se puede decir, fue el primer filósofo «medieval», que se propone como problema a resolver la conciliación entre la razón clásica y la tradición bíblica.

3. LA REACCION JUDAIZANTE

El proceso de «asimilación» a la cultura helenística se intensifica, pues, desde el siglo III a.C. hasta alcanzar en época romana su punto máximo. Paralelamente a este proceso de helenización ascendente, se produce otro en sentido contrario, de reacción por parte de la población autóctona contra una total inculturización por parte de la cultura extranjera helenizante. Entre los judíos esta reacción adquiere una mayor virulencia, sobre todo en la metrópoli, en Palestina, en tiempos de la revuelta macabea. Allí va dirigida contra los Seléucidas de Siria, y contra la clase dominante de los judíos helenizados de Jerusalén. Esta reacción nace de una exaltación de los valores patrios, las tradiciones religiosas, la lengua hebrea y las costumbres autóctonas. El siglo III y los inicios del II a.C. fueron épocas de triunfo para el iluminismo helenista y de decadencia para la religión tradicional de los pueblos subyugados. En Siria y Palestina, la política de los Seléucidas, en particular de Seleuco (312-281 a.C.) y de su hijo Antíoco I (281-261 a.C.), consistió en ganar para la causa del helenismo a la aristocracia semita y judía, ofreciéndoles la consideración de «ciudadanos» de las nuevas *poleis* griegas. Tal política cosechó grandes éxitos en los comienzos, pero fracasó totalmente en los años de Antíoco IV Epifanes (175-164 a.C.). En Jerusalén tomó entonces el poder político y religioso una dinastía que hizo estandarte de su reacción antihelénica. En Egipto y Alejandría los enfrentamientos no fueron tan violentos ni tuvieron un éxito comparable, a pesar de la relativa debilidad del reino tolomeo a partir de la segunda mitad del siglo II a.C. En Alejandría logró abrirse paso una cultura mixta, una síntesis «greco-egipcia», imposible todavía en el siglo III, pero muy lograda en personajes del siglo I d.C. como Quermenes, sacerdote egipcio, historiador y director del Museo de Alejandría, nombrado preceptor de Nerón en el año 49 d.C., o como Filón entre los judíos alejandrinos.

Dos quejas de signo opuesto ilustran el cambio efectuado entre el primer helenismo y el tardo helenismo. A mediados del siglo III a.C., un noble sacerdote egipcio protesta contra un veterano griego, de nombre Androbio: *Me ha despreciado porque soy un egipcio.* Un siglo más tarde, un egipcio helenizado del Serapion de Menfis, llamado Tolomeo, se lamenta de haber sido agredido por unos egipcios. La razón, *porque soy un griego*.

II

1. La version de los Setenta y la Carta de Aristeas

La obra cumbre del judaísmo alejandrino, que ha perdurado y ha tenido influjo universal, es la traducción al griego de la *Torá* y de otros libros de la Biblia hebrea. Esta versión es conocida como la de los Setenta. Los orígenes y propósito inicial de esta obra son todavía objeto de vivas discusiones. El Pentateuco fue traducido en Alejandría, probablemente hacia mediados del siglo III a.C., durante el reinado de Tolomeo II Filadelfo (285-247 a.C.). Según testimonio de la Carta de Aristeas, ya citada, la versión de la *Torá* fue realizada por 72 sabios (seis por cada tribu hebrea), enviados con tal misión por el sumo sacerdote Eleazar a petición del rey. Demetrio de Falerón, encargado de la biblioteca real, recibió a los traductores y *atravesando siete estadios de distancia por mar en dirección a la isla* (de Faros posiblemente), *pasó el puente y, dirigiéndose hacia las partes norteñas, los congregó en una casa muy cómoda y silenciosa junto a la playa. Los invitó a que ejecutaran la traducción proveyéndolos de todo lo que necesitaban... Y resultó que terminaron la obra de la traducción en setenta y dos días como que tal empresa fuera realizada según un propósito fijado de antemano.* Demetrio congregó a los judíos, se dio lectura a la traducción, y los dirigentes de la comunidad dijeron: *Puesto que la traducción es correcta, de una precisión y piedad extraordinarias, justo es que permanezca tal como está y que no se produzca ninguna desviación.* Todos los presentes asintieron y se pronunció una maldición contra quien *se atreviera a revisarla añadiendo, modificando o quitando algo al conjunto del texto* (*Carta de Aristeas*, 302-311). Filón, el Pseudo-Justino, Ireneo, Clemente de Alejandría y Epifanio, recogen y amplían este testimonio. Sin embargo, la «novela histórica» de Aristeas no es un documento histórico del todo fiable. Cae en anacronismos como el de hacer de Demetrio el bibliotecario de Tolomeo II. Por otra parte, la figura de un rey bibliófilo, interesado en disponer de la traducción griega de la Ley de los judíos, no resulta inconcebible, pero sí que reconozca la superioridad del monoteísmo judío, reciba con los máximos honores a los traductores judíos y se enzarce con ellos en disputas teológicas. Por todo ello se ha preferido atribuir los orígenes y motivaciones de esta obra de traducción a necesidades surgidas dentro de la propia comunidad judía alejandrina. El culto sinagogal de unas comunidades, que dejaban rápidamente de comprender la lengua hebrea, hacía necesaria la traducción de los textos sagrados al griego común (*koiné*), de Egipto.

a) *Proceso de traducción*

Se tradujo primeramente la Torá en sus cinco libros, luego los Profetas anteriores y posteriores (por orden inverso posiblemente) y más tarde los Escritos restantes. Por otra parte se ha propuesto que la carta de Aristeas no se refiere en realidad a la primera traducción original de la *Torá*, sino a una revisión o recensión posterior de la misma. Según P. Kahle, quien propuso esta interpretación de la Carta, habría ido surgiendo en un principio un número indefinido de traducciones, hasta que en un determinado momento, por la época de redacción de la Carta de Aristeas (en torno al 120 a.C.), se hizo preciso dar carácter oficial a una traducción única, cuyo texto debía de permanecer inalterable. A tal efecto se hizo la recensión, a la que se refiere la Carta. Esta teoría no ha sido aceptada. Hoy prevalece la opinión, expuesta ya a finales del siglo pasado, por P. de Lagarde, de que existió efectivamente una primera traducción única de la *Torá* y de otros libros de la Biblia; su texto pasó en los siglos siguientes por un complicado proceso de revisión, que corresponde al proceso histórico seguido por la comunidad judía en la misma época. Antes de desvelar el sentido e implicaciones de este proceso paralelo de revisión en lo literario y de reforma en lo social y religioso, será preciso hacer una somera descripción de la obra de los LXX.

El término de versión de los LXX debería de aplicarse solamente a la traducción de la *Torá* o Pentateuco; el término se utiliza, sin embargo, para designar la traducción de todos los libros del canon hebreo del Antiguo Testamento. Además de éstos, contiene también otras obras, que con variaciones según los manuscritos suelen ser: I Esdras, Sabiduría de Salomón, Sabiduría de Jesús Ben-Sira, Judit, Tobit, Baruc, la Carta de Jeremías y los cuatro libros de los Macabeos. Algunos de los manuscritos cursivos incluyen también los Salmos de Salomón. Por otra parte, en algunos libros canónicos se incluyen pasajes desconocidos por el texto hebreo. La Biblia griega de los LXX recoge en realidad versiones de muchos traductores, de muy variada calidad y de épocas muy distintas. A mediados y sin duda a finales del siglo II a.C., se había completado la obra completa de traducción de los libros bíblicos. En general la calidad de la traducción es buena. Cada libro presenta características propias. La versión de Proverbios y de Job se aparta considerablemente del texto hebreo, pero su griego es excelente. La versión del Eclesiastés es, por el contrario, de un literalismo extremado y servil.

b) *Doble interés griego-semita de la Versión de los LXX*

La versión de los LXX, como obra de traducción, ofrece un doble interés, lo que ha determinado dos líneas dispares de investigación. Unos estudian la obra atendiendo preferentemente al carácter griego de la misma, como fuente de estudio para el conocimiento de la lengua, ideas y religión de los judeo-helenistas. Otros se interesan más por el original hebreo que está a la base de la traducción; la versión de los LXX es utilizada entonces preferentemente como arsenal de materiales para la restauración crítica del texto hebreo del Antiguo Testamento. El descubrimiento en las orillas del Mar Muerto de manuscritos hebreos y griegos, fechados en los siglos III a.C. al II d.C., ha puesto de relieve que en algunos libros y en numerosos pasajes de otros, la versión griega fue realizada sobre textos hebreos diferentes (en extensión, orden y texto) respecto al texto hebreo tradicional llegado hasta nosotros a través de las escuelas de masoretas del Medioevo. El texto de las traducciones griegas se convierte de esta manera en un testimonio valiosísimo sobre la existencia y tenor de textos hebreos perdidos, que han reaparecido ahora fragmentariamente en las cuevas de Qumrán.

Las dos corrientes de investigación señaladas, la que prima el carácter griego de la traducción y la que se interesa por su trasfondo hebreo, ponen de relieve el doble valor de la traducción de los LXX: su carácter griego y semita a la vez. La versión de los LXX es «un fenómeno sin precedentes en la antigüedad, de capital importancia para la historia de nuestra civilización» (N. Fernández Marcos). Es la primera traducción de un Corpus completo de literatura semítica a la lengua culta de la antigüedad clásica. Representa el primer ensayo de simbiosis cultural entre griegos y semitas, con judíos helenistas por intermediarios.

Mucho se ha escrito sobre las relaciones, en paralelos opuestos, entre el pensamiento griego y el pensamiento semita y hebreo. Los griegos priman lo visual, los hebreos lo auditivo; lo estático griego frente a lo dinámico hebreo, lo abstracto frente a lo concreto, el expresarse del griego en sustantivos frente al del hebreo en verbos, la antropología dualista de alma y cuerpo frente a la visión globalizada del hombre... (cf. T. Bohman, *Das hebräische Denken im Vergleich mit dem Griechischen*, 2 ed. [Gottinga 1954]). J. Barr ha criticado duramente la excesiva simplicidad de tales oposiciones, para las que no se aportan fundamentos sólidos de carácter lingüístico (cf. J. Barr, *The Semantics of Biblical Language* [Oxford 1961]). Desde la época helenística y desde la traducción de la Biblia hebrea al griego, la historia política y cultural posterior ha sido un diálogo y un enfrentamiento continuados entre el mundo greco-latino y el mundo árabe-semita, con la minoría judía, en diáspora por ambos mundos, jugando muchas veces el papel de puente o de bisagra entre los dos. La comunidad judía, obligada en la diáspora a una doble fidelidad, se ha visto en ocasiones desgarrada por dos fuerzas antagónicas en su interior. La historia y vicisitudes de la versión griega de la Biblia es un reflejo de aquellas tensiones.

2. LA VERSION DE AQUILA Y SUS ANTECEDENTES

La versión de los LXX alcanzó entre los judíos gran predicamento, hasta atribuírsele, como hace Filón de Alejandría, un grado de inspiración religiosa comparable a la reconocida al texto hebreo. Sin embargo, un siglo más tarde la versión de los LXX había pasado ya a formar parte del patrimonio cristiano heredado del judaísmo. Por ello el judaísmo oficial acabó suplantando la traducción de los LXX por una nueva, extremadamente literal y hebraizante, que rompe las normas más elementales de la gramática, sintaxis y estilo griegos. Esta traducción, que lleva el nombre de Aquila, es el fruto más característico de la reacción contra lo que se consideraba la excesiva helenización del judaísmo alcanzada en Alejandría y de la que la versión de los LXX se había convertido ahora en máximo exponente. La narración judaizante, por así llamarla, es sin embargo muy anterior a Aquila, quien tuvo «predecesores» anónimos desde un siglo antes (D. Barthélemy, *Les devanciers d'Aquila,* [Leiden 1963]). Los primeros intentos por revisar la versión de los LXX son ya contemporáneos a Filón de Alejandría. En círculos rabínicos de Palestina se llevó a cabo un proceso de «recensión», que alcanzó sobre todo a aquellos libros o secciones de libros de la Biblia griega, que mostraban diferencias considerables respecto al texto hebreo de los rabinos, el que había de ser oficializado más tarde, a finales del siglo I d.C., en el llamado Sínodo de Yamnia.

Esta primera recensión rabínica, designada *Kaige* (por la característica de traducción *kaige = wgm*), es fruto de la reacción farisea contra los judeohelenistas, que pasa por épocas de gran virulencia desde el reinado de Salomé Alejandra en Jerusalén (76-67 a.C.), y que tiene sus precedentes históricos en las revueltas macabeas contra los seléucidas y contra la «reforma helenística» llevada a cabo en Jerusalén (167-134 a.C.). El judaísmo fariseo de Palestina acabó ganando la partida al judaísmo helenístico de Alejandría. El acontecimiento decisivo que hizo cerrar filas a los judíos todos de la metrópoli y de la diáspora fue la destrucción de Jerusalén y del Templo en el año 70 d.C. Las filas se cerraron en torno a la corriente oficial farisea. Muchos de los «helenistas» pasaron a engrosar las filas de los cristianos. Filón y el judaísmo alejandrino, sospechosos de tendencias filopaganas y filocristianas más tarde, perdieron casi todo influjo en el judaísmo nacido de la restauración rabínica, cuyo alimento espiritual será desde ahora la literatura mísnica y midrásica. El influjo de Filón reaparecerá sólo en corrientes místicas del judaísmo.

3. Doble legado del judaismo alejandrino al cristianismo

Sin embargo, en contrapartida, el judaísmo alejandrino ha dejado un doble legado al cristianismo. La Biblia griega, según el llamado canon alejandrino, será la Biblia de los cristianos. De ella surgirán múltiples traducciones a todas las lenguas de los pueblos, a los que alcanzará la expansión del cristianismo: la *Vetus latina,* la Peshitta (siríaca), las versiones al copto, armenio, georgiano, etíope, árabe, a las lenguas eslavas, etc. Otro legado del judaísmo alejandrino al cristianismo es la escuela exegética, fundada en el método alegórico, que en línea con la tradición filoniana, conocerá su época de esplen-

97

dor con Orígenes y Clemente Alejandrino (siglo III d.C.). Las escuelas judía y cristiana de Alejandría son deudoras a la anterior academia de interpretación y edición de los clásicos griegos, nacida en torno al Museo y Biblioteca de Alejandría.

Alejandría conoció el mayor esplendor cultural helenista, pagano, judío y cristiano. Las producciones literarias del judaísmo helenístico, en gran medida alejandrinos, fueron un cauce importante de unión entre el clasicismo pagano y el posterior clasicismo cristiano de época bizantina. En ello consiste la grandeza y en ello se encierra la miseria del judaísmo alejandrino.

NOTA BIBLIOGRAFICA

M. Rostovtzeff, *The Social and Economic History of the Hellenistic World*, I-III (Oxford 1941); V. Tcherikover, *Hellenistic Civilization and the Jews* (Nueva York 1961); A. Schalit (ed.), *The World History of the Jewish People*, VI: *The Hellenistic Age* (Jerusalén 1972); E. Schürer - G. Vermes - F. Millar, *The History of the Jewish People in the Age of Jesus Christ*, I (London 1973); M. Hengel, *Jundentum und Hellenismus*, 2 ed. (Tubinga 1973); Idem, *Juden, Griechen und Barbaren. Aspekte der Hellenisierung des Judentums in vorchristlicher Zeit* (Stuttgart 1976); S. Jellicoe, *The Septuagint and Modern Study*, 2 ed. (Michigan 1978); N. Fernández Marcos, *Introducción a las versiones griegas de la Biblia* (Madrid 1979).

Capítulo VI

TARGUM Y MIDRAS

por MIGUEL PEREZ FERNANDEZ *

El judaísmo es religión de revelación: es obediencia a una palabra que le viene de Dios. En un determinado momento de la historia humana, en el monte Sinaí, Dios dirigió la palabra al pueblo de Israel a través de Moisés, y la religión de Israel consiste en guardar esa palabra, mantenerse fieles a ella, ponerla en práctica, transmitirla con fidelidad a las generaciones futuras. La revelación del Sinaí se transmite en el judaísmo por dos canales: por vía escrita (la Biblia o Ley escrita) mediante la lectura (*Miqrá*), y por tradición oral (Ley oral) mediante repetición (*Misná*). El Targum y el Midrás hacen, de alguna forma, de puente entre los dos canales, como habremos de ver, pues muestran la concordancia de las dos tradiciones. La actividad targúmica y midrásica se ejercita sobre la Ley escrita (Biblia) y surge como exigencia de fidelidad al texto y al mandato de la transmisión, pues la transmisión fiel exige la traducción actualizada (*targum*) y el estudio y adaptación (*midrás*) del texto bíblico.

I. EL TARGUM

1. ORIGEN DEL TARGUM

En castellano, a través del árabe, nos ha venido alguna palabra de la misma raíz que targum: *Trujamán*] *Truchimán* (=traductor). *Tar-*

* Doctor en Filología Semítica y Profesor de la Facultad de Teología de Granada.

gum es palabra aramea que significa «traducción». Pero es ya término técnico que designa las versiones arameas de la Biblia que se leían en las sinagogas desde antes de la era cristiana.

No podemos precisar cuándo exactamente empiezan a traducirse en el servicio sinagogal los textos sagrados al arameo; sin duda este hecho supone que el hebreo ha dejado de ser lengua inteligible para el pueblo, que ya ha adoptado la lengua aramea. Debemos situarnos en la época postexílica. La tradición judía ve el origen de la praxis targúmica en aquella gran asamblea a la vuelta del destierro que describe el cap. 8 de Nehemías: ahí se dice que después de que Esdras leyera la Ley y todo el pueblo respondiera con el «amén», los levitas *leyeron en el libro de la Ley de Dios con claridad y precisando el sentido, de suerte que entendieran la lectura* (Neh 8, 8); es discutible la interpretación de este texto en este preciso sentido, pero es indiscutible que eso es lo que hace la praxis targúmica sinagogal que conocemos: tras la lectura de los textos bíblicos viene la traducción aramea para que el pueblo entienda. La Misná nos ha conservado una reglamentación precisa de cómo esto se hacía: *El que lee la Ley no lee menos de tres versos. Al traductor no le lee más de un verso, pero de los profetas lee tres;* es decir, la Ley (el Pentateuco) se traduce versículo a versículo, mientras que la lectura de los profetas se traduce de tres en tres versículos.

Entre los manuscritos de los esenios de Qumrán —secta que procede del siglo II a.C.— se han encontrado un Targum de Job (traducción aramea de dicho libro) y otros fragmentos de un Targum del Levítico (11Q TgJob, 4Q TgJob, 4Q TgLev); además el llamado Apócrifo del Génesis (1Q GnAp), versión parafrástica aramea del Génesis, que bien pudiera tratarse de un Targum. Es claro, por tanto, que la praxis targúmica es ya usual en el siglo II a.C.

2. Naturaleza del Targum

Las prescripciones rabínicas dicen que en la liturgia sinagogal la Biblia debe ser *leída,* pero la traducción (*targum*) debe ser *recitada de memoria.* Comprender esta reglamentación nos ilustrará sobre la naturaleza de esta peculiar traducción. La Biblia debe ser *leída* porque es inmutable y ha de mantenerse inalterada, sagrada, en su calidad de Palabra de Dios. Pero ninguna traducción, ni la más fiel, puede alcanzar la categoría de la Palabra Santa; por eso no se la puede fijar por escrito; la traducción, en su carácter puramente oral, lleva consigo la señal de su provisionalidad; ninguna traducción es definitiva e inmutable, pues, entre otras cosas, ninguna traducción puede reflejar *las setenta caras que la Biblia tiene,* según el dicho rabínico.

Así pues, el carácter provisional de toda traducción exige una humildad básica en el traductor o *meturgeman:* el reconocimiento de su propia limitación, la conciencia de que no puede dar interpretaciones excluyentes. Viene a resultar, por este camino, que el judaísmo, tan fiel a la letra por una parte, es extremadamente liberal a la hora de la praxis y de la labor teológica. De aquí que se pueda decir que entre los principios básicos del judaísmo está la siguiente comprensión: En el Sinaí Dios ha dado a los hombres una revelación definitiva e intocable, pero también ha dejado en manos de los hombres la responsabilidad de su interpretación.

Mas atendamos al contexto vital de la traducción targúmica, que es la sinagoga. Advertiremos en seguida que no se puede tratar de una versión académica, de un trabajo de escuela, sino de una actividad litúrgica-kerigmática-catequética. Efectivamente, en el *meturgeman* detectamos, más que al filólogo, al predicador, que tan atento está al texto que traduce como a los oyentes para quienes traduce. Es evidente que tal actividad de exegeta y predicador tiene unos presupuestos teológicos y hermenéuticos, que yo formularía básicamente en sólo dos: 1) La Biblia es palabra viva y actual de Dios, y, por tanto, se dirige hoy al pueblo; 2) En toda la Biblia hay una unidad, por lo que la Biblia debe explicarse por la misma Biblia. Con esta comprensión básica el *meturgeman,* al traducir, actualiza el texto, ilustra a los oyentes y los exhorta.

La actualización targúmica no debe dejar de ser traducción; en esto el targum se distingue del midrás, del que hablaremos más adelante. A un maestro tannaíta del siglo II d.C., Yehudá bar Ilay, se atribuye el siguiente dicho: *Quien traduce con absoluta literalidad es un falseador; el que añade alguna cosa es un blasfemo* (Tosefta Meguillah 4, 41; Talmud de Babilonia Quiddushim 49a). De aquí que el *meturgeman* use una serie de recursos técnicos de traducción que hoy nos parecen caprichos y arbitrariedades, pero que están plenamente justificados y aceptados por la hermenéutica de la época y por la teología subyacente. Señalemos entre estas técnicas: 1) cambios en la vocalización de las palabras, con lo que se obtienen significados diversos; 2) uso de los diversos sentidos de una misma palabra; 3) equivalencia entre palabras diversas por el hecho de tener el mismo valor numérico (*gematria*); 4) traslocación de las consonantes de una palabra para obtener otra palabra; 5) dividir y agrupar diversamente las consonantes de una o más palabras para obtener nuevos conjuntos semánticos; 6) entender las consonantes de una palabra como abreviatura de otras (*notaricón*); 7) equivalencia entre diversas palabras de distinto significado por mera asonancia o proximidad fonética u ortográfica (*paronomasia*); 8) proponer significados diversos por analogía con otros casos o contextos semejantes; etc.

Es fácil comprender que usando estos recursos la traducción puede ser arbitraria. Alguien podría decir que con tales recursos y procedimientos técnicamente se pueden obtener no sólo versiones contradictorias entre sí, sino versiones contrarias al mismo espíritu de la Biblia que traducen. Me parece que esta cuestión hay que proponerla no en la posibilidad («si es posible...»), sino en la realidad (si efectivamente así ha sido). La respuesta es tajante: El targum ha preservado y actualizado el espíritu de la Biblia para los judíos. Consideremos el hecho sociológicamente: el *meturgeman* no es un teólogo aislado que busca justificar exegéticamente sus elucubraciones, ni un filólogo que escruta en su estudio todos los sentidos posibles de las palabras, ni un sofista que se goza en descubrir acepciones imposibles. El *meturgeman* es un traductor de un texto sagrado (la Biblia) en un espacio sagrado (la sinagoga) con la intención catequética de ilustrar y exhortar al pueblo de Dios (la comunidad) según el sentido de las palabras de la Ley y los profetas (siguiendo los ciclos litúrgicos de lecturas), tal como se explicaban y entendían en la tradición de Israel (según el sentido *pesat*). El sentido *peshat* no es el mero sentido literal (aunque como sentido literal lo entendieran en el medievo) sino el sentido comúnmente aceptado, como dice un texto del Talmud de Babilonia, *aquel sentido en el que hasta los saduceos están de acuerdo* (Sanhedrín 33b). El *meturgeman,* pues, no se entiende sin el espíritu de la Biblia y el de la tradición, sin la fidelidad a la Ley escrita y a la Ley oral.

3. La literatura targúmica

Como ya hemos dejado dicho, el Targum no se leía en la sinagoga, sino que se recitaba de memoria. Pero el traductor podía tener notas escritas y escribir su versión para su estudio; de hecho nos consta de la existencia de versiones arameas escritas; los ya mencionados textos de Qumrán son testigos evidentes de tal praxis. Por otra parte, la actividad targúmica, siendo en su último estadio un servicio litúrgico-catequético, presupone obviamente en su base un trabajo de estudio en equipo, un trabajo escolar que necesitaba la redacción y discusión de las reformulaciones; este trabajo previo al servicio sinagogal se realizaba entre los círculos de maestros, en el *bet hamidrash* y en las academias.

En la actualidad contamos con traducciones arameas de toda la Biblia. Estudiándolas con atención es fácil descubrir en ellas una tradición palestina y otra babilónica, es decir, los modos de interpretar la Biblia en Palestina y los que en un momento dado aparecieron en Babilonia y que acabarían imponiéndose en todo el judaísmo y eclipsando a la tradición palestina. Aunque generalmente se admite que la tradición babilónica no hizo sino revisar los textos palestinos, lo cierto es que oficialmente la tradición babilónica fue impuesta, como ocurrió con el Talmud de Babilonia, en todo el judaísmo tras la dominación de los árabes. La tradición palestina quedó olvidada. Por lo que podemos conocer de la antigua tradición palestina targúmica, no debemos imaginar la existencia de un texto único primitivo oficial; se trataría de una tradición oral sin una fijación oficial única. Esto es lo que se deduce de la diversidad que muestran los textos palestinos targúmicos de que disponemos.

El Targum de Onqelos

Del Pentateuco conocemos la recensión oficial babilónica, el llamado Targum de Onqelos, que se edita en las Biblias rabínicas junto al texto hebreo. En su origen representa una tradición palestina muy literal, acaso de la escuela de R. Aqiba (siglos i-ii d.C.; cf. más adelante). El nombre de Onqelos es probablemente una confusión con Aquila, traductor de la escuela de Aqiba que en el siglo ii d.C. hizo una traducción griega de la Biblia. La revisión babilónica no sólo adaptó la lengua al arameo oriental, sino que revisó la traducción haciéndola más literal y mutilando en ocasiones interpretaciones *hagá-dicas,* cuando no corrigiendo alguna *halaká.*

Los Targumim Fragmentarios

La crítica literaria descubre restos de la tradición palestina en el mismo Onqelos. También en los márgenes de diversos manuscritos, los copistas fueron anotando variantes de la casi olvidada tradición palestina; así se pueden recomponer para todo el Pentateuco unos 850 versículos recogidos de acá y allá, que reflejan la tradición palestina; además, y siempre para el Pentateuco, se encuentran algunas recopilaciones y fragmentos de manuscritos, entre los que merecen especial mención los procedentes de la Genizah del Cairo. Todos estos testigos se conocen con el genérico nombre de Targum Fragmentario.

El Targum Neofiti

Los fragmentos que acabamos de nombrar hacían sospechar que en alguna parte pudiera conservarse una copia completa de un Targum de la tradición palestinense. Y efectivamente en 1956 el profesor español don Alejandro Díez Macho identificaba como un targum palestinense un manuscrito de la Biblioteca Vaticana copiado en Roma en 1517. Este manuscrito es conocido como Targum Neofiti (pues procede del Colegio de Neófitos, fundado en Roma en 1577). Es una versión aramea completa de todo el Pentateuco.

El Targum de Pseudo-Jonatán

Versión aramea completa al Pentateuco. Su redacción final es medieval, por el siglo VIII; pero parte de un targum de la tradición palestina y recoge gran cantidad de leyendas midrásicas palestinenses. El nombre se debe a un error en la interpretación de las siglas TY [*Targum Yerushalmí*], Targum de Jerusalén), que fueron entendidas como Targum de Yonatán ben Uzziel a quien se atribuye el Targum de los profetas.

El Targum de los Profetas

Por Profetas, el judaísmo entiende también los libros históricos de la escuela deuteronomística, es decir: desde Josué a Malaquías.

La versión aramea de todo este conjunto se atribuye a Yonatán ben Uzziel, discípulo de R. Hillel. En su redacción actual es obra babilónica (como el Tg de Onqelos al Pentateuco), pero en su origen es una tradición palestina. Con frecuencia en los márgenes de los manuscritos se escriben fragmentos de otras versiones arameas a los profetas, también de origen palestino.

El Targum de los Escritos

Por «escritos» el judaísmo entiende el resto de la Biblia hebrea, fuera de Pentateuco y Profetas. Las versiones arameas de estos libros son más recientes, pero vehiculan tradiciones seguramente muy antiguas.

—o—

La literatura targúmica ocupa un lugar bien definido dentro de la riquísima literatura judía. Su estudio interesa al filólogo y al amante de la literatura, al historiador y al teólogo, al exegeta del Antiguo Testamento y al del Nuevo Testamento. Las últimas décadas han conocido un resurgir de estos estudios principalmente en España bajo la dirección del profesor don Alejandro Díez Macho. Hoy ya se tiene la conciencia clara de que el Targum refleja la vida y la comprensión de su época, y que, por tanto, esta literatura no sólo es útil, sino indispensable para conocer el judaísmo. Por otra parte, y como los numerosos estudios de los especialistas han demostrado, el conocimiento de la literatura targúmica ha sido uno de los elementos impulsores en la renovación de la exégesis del Nuevo Testamento.

4. Un ejemplo

Veamos en paralelo el texto bíblico de Gen 49, 10 y la correspondiente versión aramea del Targum Neofiti, de la tradición palestina:

Gn 49, 10	TgN Gn 49, 10

No se apartará el cetro
    de Judá
ni el bastón de mando
    de entre sus rodillas
    hasta que venga Silo
 	
y le rindan homenaje
    los pueblos.
	No cesarán los reyes
	    de entre los de la Casa de Judá
	ni los escribas que enseñan la Ley
	    entre los hijos de sus hijos,
	    hasta que venga el Rey Mesías,
	    del cual es la realeza,
	y a él se someterán
	    todos los reinos.

La tradición palestina entiende «cetro» como símbolo del poder regio y traduce por «reyes»; «bastón» lo interpreta como «escribas que enseñan la Ley», probablemente por la asociación a la vara de Moisés, el escriba de Israel por excelencia; esta versión de «bastón» por escriba es típica de Palestina: aparece en documentos esenios precristianos (Documento de Damasco 6, 2-11). El texto hebreo que subyace a la expresión «hasta que venga Silo» es muy problemático y según diversas vocalizaciones y conjeturas podría también traducirse: «hasta que le traigan tributo» o «hasta que venga aquél a quien le pertenece»; la versión targúmica ha hecho una interpretación mesiánica justificada técnicamente porque las consonantes hebreas del texto en cuestión, *yb' shylh,* suman lo mismo que las consonantes de Mesías, *mshyh:* 358; y además, cambiando la vocalización y dividiendo de otra manera las consonantes del texto hebreo, ha leído «hasta que venga aquél a quien le pertenece», y ha traducido «del cual es la realeza». Así, pues, aquí se observa una doble traducción de un mismo texto, una por *gematria* (técnica de interpretación judía usada en las correspondencias numéricas) y otra por cambio de vocalización y distribución de consonantes; no hay aquí una *lectio conflata* sino la expresión palpable de que la Biblia tiene *setenta caras* y el traductor no se contenta con un solo significado.

El texto del Targum de Pseudo-Jonatán representa la misma tradición palestina con algunas diferencias, lo que muestra que no había un texto fijado: *No cesarán reyes y príncipes de la Casa de Judá ni los escribas que enseñan la Ley entre su descendencia hasta que venga el Rey Mesías,* EL MAS JOVEN DE SUS HIJOS, *y por él se disiparán las naciones* (Tg PsJ Gn 49, 10). Respecto al texto de Neofiti resaltemos el añadido «el más joven de sus hijos», que proviene de una interpretación mesiánica de Miq 5, 1, paso ya entendido mesiánicamente en el Evangelio de San Mateo (Mt 2, 6). Por tanto, aún cuando la adición de este verso en 1 Targum de Pseudo-Jonatán fuera tardía (cosa que está por demostrar), no dejaría de tratarse de una tradición bien antigua.

El texto del Targum de Onqelos a Gen 49, 10 representa la misma tradición palestina que hemos visto en los otros testigos: *No cesará el detentor del poder de la Casa de Judá ni el escriba entre los hijos de sus hijos por siempre hasta que venga el Mesías, del cual es la realeza, y a él se someterán los pueblos* (Tg Onq Gn 49, 10). Si se observa detenidamente, esta versión ofrece unos pequeños y significativos retoques: «cetro» y «bastón», que están en singular en hebreo, son traducidos por el singular también: «el detentor del poder», «el escriba». Al Mesías no lo designa como «rey», como era usual en la tradición palestina, sino simplemente lo llama «Mesías»; este dato —que es constante en este Targum— refleja la prudencia política y el desencanto ante los movimientos político-mesiánicos fracasados, así como una progresiva espiritualización de la concepción mesiánica: en Onqelos, el Mesías será más un Maestro de la Ley que un Rey.

II. EL MIDRAS

1. LA ACTITUD DERASICA

La palabra *midrás* significa búsqueda o estudio; proviene de la raíz hebrea *drsh*. Concretamente se refiere al estudio de la palabra de Dios escrita en la Ley (entendida Ley en un sentido amplio como Biblia). Esta actividad de estudio es típica del judaísmo fariseo. Tiene, al menos, un doble presupuesto: 1) Que Dios con la Ley entregó a Israel *toda* su voluntad, 2) y que la entregó *para siempre*. Por ello una actitud derásica no está a la espera de nuevas revelaciones, ya sean de ángeles o de profetas o de voces celestiales, sino que permanece constante en el estudio de lo que ya ha sido dicho con validez eterna.

Un texto rabínico formula que la frase de Moisés en Dt 30, 12: *No está en el cielo la Ley,* quiere decir, ni más ni menos, que no ha quedado ninguna revelación oculta o en reserva en los cielos, y que, por consiguiente, no hay que prestar atención a nadie que se presente como un nuevo Moisés con la pretensión de traer otra nueva Ley del cielo (véase el Midrás Rabbah Dt 8, 6). En el siglo I de la era cristiana, R. Yehosúa ben Jananyah, frente a las extravagancias de un R. Eliezer ben Hyrqanos, decía: *La Ley fue dada de una vez para siempre en el monte Sinaí; por ello no debemos hacer caso de ninguna voz celestial* (Talmud de Babilonia, B.M. 59b). Esta actitud es la que enfatiza el judaísmo fariseo frente a los grupos apocalípticos, místicos y cristianos, que recurrían, para justificar sus nuevas doctrinas, a revelaciones nuevas, tablas celestiales, secretos escondidos, visiones últimas del trono de Dios, inspiraciones proféticas del Espíritu Santo, etcétera.

Podemos, pues, formular así esta comprensión del judaísmo fariseo: si ya no cabe esperar ninguna revelación ni siquiera nuevos profetas, al hombre sólo cabe la actitud derásica, o sea, estudiar la Palabra de Dios ya dicha, escudriñarla y descubrir todos sus sentidos (*las setenta caras* que ya hemos mencionado), para ponerla en práctica y transmitirla fielmente. Se entiende que un Yojanán ben Zakkay transmitiera como tradición de Hillel y Sammay que *el hombre ha sido creado para estudiar la Ley* (Misná Abot 2, 8).

Desde esta concepción se entiende que el judaísmo fariseo descalifique al perezoso e ignorante (o al ignorante por perezoso) que no se molestan en buscar cuál sea la voluntad de Dios. Por el contrario el judaísmo valora extraordinariamente a quien de día y de noche se ocupa en las Palabras de la Ley. Adviértase que esta actitud de estudio no debe ser orgullosa ni misántropa. La Misná afirma que se necesitan 24 virtudes para ejercer el sacerdocio, 30 para ser rey y 48 para estudiar la Ley; entre estas 48 están el temor de Dios, la humildad, la alegría, el respeto a los sabios, la capacidad de escuchar, el recogimiento, la caridad, etc. (Misná Abot 6, 5-6); se trata, pues, de una finísima actitud que incluye la humilde apertura a Dios y al prójimo.

2. El género midrásico

La actividad derásica se ejercita ya en la misma Biblia: los libros de las Crónicas, por ejemplo, son una relectura de la historia deuteronomística, y en cierto modo son un midrás; el libro de la Sabiduría es un clarísimo ejemplo de Midrás sobre numerosos textos veterotestamentarios. Como género literario, Midrás es una actualización del texto sagrado mediante explicación, adaptación y desarrollo; esta actualización no está tan limitada como la del Targum, que necesita mantenerse siempre dentro de los límites de una traducción; el midrasista, de hecho, usa leyendas, ejemplos, historias, parábolas, al objeto de mostrar el sentido de un texto o para iluminar alguna situación con determinados textos.

Dentro del género midrás se suele distinguir el midrás *halákico* y el *hagádico:* el primero sería actualización de leyes (*halaká* es norma de conducta), el segundo sería más ilustrativo (*hagadá* significa narración). Pero esta distinción no me parece del todo clara, pues *hagadá* y *halaká* se mezclan y no hay midrás hagádico que no tenga al menos una intención halákica. Más bien se podría distinguir, por la forma, entre lo más popular y lo más erudito, con la advertencia de que entre los extremos hay una ininterrumpida y continua gradación, y que un mismo midrás puede tener elementos muy populares y muy científicos: piénsese, por ejemplo, en una homilía.

Suele también distinguirse entre midrás abierto y midrás encubierto, según que el texto que se quiere actualizar esté expresamente citado o no. Nótese que el género midrásico supone en los oyentes una aproximación intelectual grande y afectiva con la Biblia; en el midrasista supone una gran maestría para iluminar los textos entre sí, para acertar en una aplicación oportuna, y, en muchos casos de midrás encubierto, para conseguir que sus oyentes o lectores interpreten una determinada situación a la luz de un texto o pasajes no citados.

El género midrásico surge desde el momento en que un texto es considerado sagrado y necesita ser aplicado. Por eso es tan viejo como la misma Palabra que se pronuncia en el Sinaí. La tradición rabínica afirmará que Moisés en los cuarenta días con sus noches que estuvo en el monte Sinaí estuvo haciendo midrás, enseñado por el mismo Dios. El contexto vital del midrás está en la actitud derásica propia de todo buen judío.

3. La literatura midrásica

La palabra midrás designa también no solamente el género de un relato, sino la obra literaria más o menos extensa compuesta según ese género. Cuando hablamos de *Midrasim* (plural de Midrás) nos referimos a esas obras literarias. En la descripción y catalogación que sigue prescindimos de aquellos libros bíblicos que en su conjunto o en parte puedan pertenecer al género midrásico; también prescindiremos, en esta catalogación, de las piezas menores midrásicas que forman parte de un conjunto literario mayor: el midrás de la creación, midrás de las cuatro llaves, midrás de la disputa de la tierra y el mar, etc.; nada más que la enumeración de estas pequeñas piezas sería interminable. Catalogaremos sólo —y muy selectivamente, pues la producción es inmensa— la obra literaria mayor que puede recibir el nombre de libro. Los criterios de clasificación tienen que ser mixtos (cronología, estilo, finalidad, contenido, etc.). En común tienen el género fundamental: la actualización del texto sagrado.

Midrasim tannaíticos

El nombre hace referencia a la época de composición y a los autores. Maestros tannaítas son los rabinos de los siglos I y II de nuestra era anteriores a la redacción de la Misná y, de alguna manera fautores o transmisores de la tradición recogida en la Misná (véase en esta obra el artículo dedicado a la Misná y el Talmud). Los llamados midrasim tannaíticos tienen en común el ser un comentario verso a verso a algunos libros bíblicos. Son predominantemente halákicos y eruditos —o muy técnicos—, pero tampoco falta en ellos la *hagadá*. En una moderna catalogación habría que clasificarlos como comentarios exegéticos. He aquí los más importantes:

— *Mekilta de Rabbi Yismael:* Comentario al Exodo. Atribuido a R. Yismael ben Elisa (siglo I-II d.C.), que usa el principio: «La Ley se expresa en el lenguaje de los hombres».

— *Sifra* o también *Torat Kohanim* (=Ley de los sacerdotes): Comentario al Levítico. Se atribuye a R. Yehudah bar Ilay. Procede de la escuela de R. Aqiba, opuesta a la de R. Yismael.

— *Sifre Números:* Comentario al libro de los Números. Pertenece a la escuela de R. Yismael.

— *Sifre Deuteronomio:* Comentario al libro del Deuteronomio. Procede de la escuela de R. Aqiba.

El origen de estas obras es claramente académico. Reflejan las diversas corrientes exegéticas: la escuela de Aqiba, puntillosa, minuciosa, sutil, al objeto de buscarle a toda halaká de la tradición oral un soporte en el texto bíblico escrito. La escuela de R. Yismael usaba métodos menos rebuscados o exóticos; tenía el principio, ya citado, de que la Biblia se expresa en el lenguaje de los hombres.

La colección Midrás Rabbah

Al mismo género de comentario exegético pertenece esta colección llamada *Midrás rabbah* o «gran Midrás». Incluye diez obras: comentarios a cada uno de los libros del Pentateuco, y al Cantar de los Cantares, Rut, Lamentaciones, Qohelet o Eclesiastés, y Ester. Se trata de comentarios más populares y hagádicos que los anteriores. Tienen origen diverso y su unión en una colección es bastante accidental. Los más antiguos son los del Génesis y Lamentaciones.

Midrasim homiléticos

El género homilético es típico del Midrás. Existen, al menos, dos tipos de homilías: las que parten de un texto bíblico citado y luego enlazan con los textos litúrgicos del día y las que comienzan planteando una cuestión halákica que después se resuelve en la explicación de los textos litúrgicos del día. Pero nótese que el contexto no es exclusivamente la predicación, pues buena parte de las homilías son un trabajo académico más para uso del predicador que para ser predicado. Enumeramos tres importantes colecciones de homilías:

— *Pesikta de Rab Kahana:* conjunto de homilías para fiestas y sábados especiales. Son de origen palestino, de entre los siglos III y V probablemente.

— *Pesikta Rabbati* y *Midrás Tanjuma:* dos colecciones de homilías atribuidas o recopiladas por R. Tanjuma, maestro de entre los siglos IV-V d.C.

Madrasim narrativos

Entre éstos sobresale el *Pirqé Rabbí Eliezer* (=Los capítulos de

111

Rabbí Eliezer): es una relectura de buena parte del Génesis y de algunos capítulos del Exodo con el añadido de relatos místicos y moralizantes y algunos muy populares. Compuesto en el siglo IX, recoge la tradición palestina de la escuela de Yojanán ben Zakkay y de R. Eliezer ben Hyrqanos; contiene también mucho material de la literatura pseudoepigráfica que el judaísmo oficial había excluido, así como tradiciones del Targum palestinense.

La literatura midrásica es típica del judaísmo; en ella está el alma de Israel: la fidelidad y la obediencia al texto sagrado, la imaginación para iluminar la vida con el texto sagrado, y, viceversa, para iluminar el texto desde la vida. No entenderá ni valorará a Israel quien no entienda ni guste el midrás. También el lector cristiano debe ser consciente de que el Nuevo Testamento es, en buena parte, un midrás; baste observar cómo en los evangelios se cita el Antiguo Testamento y cómo la vida de Jesús es leída como cumplimiento de lo que ya había sido dicho. Incluso diré más: puesto que para los cristianos Jesús era la palabra última y definitiva de Dios, Jesús mismo fue hecho objeto de *derás:* de estudio, de oración y de predicación; y ése es el origen básico de toda la literatura neotestamentaria.

4. Ejemplos ilustrativos

a) Veamos un texto de un midrás tannaítico, *Mekilta de Rabbí Yismael,* Neziqin 18, el comentario a Ex 22, 20: *No oprimirás ni vejarás al extranjero, porque extranjeros fuisteis vosotros en Egipto.* La cuestión a la que el midrasista quiere responder es la actitud que hay que tomar ante los prosélitos (=los extranjeros que se convierten al judaísmo). A este respecto el judaísmo de la época está fuertemente dividido, pues ha podido comprobar que coyunturalmente muchos conversos no han sido fieles al judaísmo (o han claudicado ante las persecuciones o incluso se han pasado a la secta cristiana o incluso a los mismos perseguidores); teológicamente algunos maestros formulaban que Dios había dado la Ley sólo a Israel, no a los gentiles, y que esta disposición había que respetarla. Así se entienden determinadas afirmaciones de los tannaítas como este dicho atribuido a Simón ben Yojay, discípulo de R. Aqiba, siglo II d.C.: *Al más bueno de los gentiles mátalo, y a la mejor de las serpientes aplástale los sesos* (*Mekilta de R. Yismael,* besallah 2). O este otro de R. Yojanán bar

Nappaja, maestro palestino del siglo III: *Un gentil que estudia la Ley es merecedor de la muerte, pues está dicho que «Moisés nos ha dado la Ley en herencia»* (Dt 33, 4). *¡Es una herencia para nosotros, no para ellos!* (Talmud de Babilonia, Sanhedrin 59a).

El texto midrásico que reproducimos contesta esta actitud intransigente con la exégesis de Ex 22, 20; se basa en el doble sentido del vocablo *ger:* en hebreo bíblico *ger* significa «extranjero», pero en la lengua contemporánea del midrás el vocablo *ger* ha evolucionado semánticamente hasta significar técnicamente «el prosélito», «el converso al judaísmo»; con este recurso del doble sentido de una palabra, el midrás irá descubriendo que también los prosélitos llevan en la Biblia los títulos más queridos de Israel: siervo, servidor, amado de Dios, amigo, protegido de Dios, en quien Dios se complace; incluso llegará a leer que Dios da a los prosélitos la alianza, con lo cual el midrasista puede reformular que «la Ley ha sido ensanchada», de modo que conversos, prosélitos y temerosos de Dios caben dentro de ella junto con los israelitas. El midrás contesta, pues, frontalmente la idea de una alianza exclusiva y de una Ley excluyente. He aquí el texto:

«"No oprimirás ni vejarás al extranjero (*ger*), porque extranjeros (*gerîm*) fuísteis vosotros en Egipto" (Ex 22, 20). No le vejarás de palabra ni le oprimirás con dinero. No le dirás: "Ayer fuiste adorador del Bel, Qores y Nebo y aún queda carne de cerdo entre tus dientes; ¿cómo te atreves a levantarte y hablar contra mí?". ¿De dónde se deduce que si lo oprimes también él puede oprimirte a ti? Porque está dicho: "No oprimirás ni vejarás al extranjero, porque extranjeros fuísteis vosotros en el país de Egipto" (ibid.). De aquí decía R. Natán: No reproches a tu compañero el defecto que hay en ti.

¡Cuán queridos son los prosélitos! Pues en todo lugar la Escritura exhorta sobre ellos: "...no vejarás al extranjero" (ibid.), "amarás al extranjero, etc." (Dt 10, 19).

R. Eliezer decía:

—Es por el mal fermento que hay en los prosélitos por lo que la Escritura avisa sobre ellos en tantos lugares.

R. Simón ben Yojay contestaba:

—Mira que la Escritura dice: "Sean sus amados como el sol al amanecer en todo su esplendor» (Jue 5, 31). ¿Quién es más: el que ama al rey o aquél a quien el rey ama? Dirás que aquél a quien el rey ama. Pues bien, la Escritura dice: "Dios ama al extranjero, etc." (Dt 10, 18).

¡Cuán amados son los prosélitos! Pues en todo lugar la Escritura los designa igual que a Israel. Los israelitas son llamados *siervos* —como así está dicho: "porque los hijos de Israel son mis siervos" (Lv 22, 55)— y los prosélitos son llamados *siervos,* como está dicho: "A los extranjeros que se han dado al Señor para servirlo, para amar el nombre de YHWH y ser sus servidores" (Is 56, 6). Los israelitas son llamados *servidores* —como está dicho: "Vosotros seréis llamados sacerdotes de YHWH, servidores de nuestro Dios" (Is 61, 6)— y los prosélitos son llamados *servidores,* como está dicho: "A los extranjeros que se han dado a YHWH para servirlo" (Is 56, 6). Los israelitas son llamados *amigos* —como está dicho: "Tú, Israel, siervo mío, Jacob, mi elegido, estirpe de Abrahán, mi amigo" (Is 41, 8)— y los prosélitos son llamados *amigos,* como está dicho: "Ama al extranjero" (Dt 10, 18). La *alianza* es mencionada con relación a Israel —como está dicho: "Y estará mi alianza en vuestra carne" (Gn 17, 3)— y la *alianza* se menciona con relación a los prosélitos, como está dicho: "...que perseveraron en mi alianza" (Is 56, 6). La *complacencia divina* es mencionada con relación a Israel —como está dicho: "para que sean aceptados con complacencia delante de YHWH" (Ex 28, 38)— y la *complacencia divina* se menciona con relación a los prosélitos, como está dicho: "Sus holocaustos y sacrificios aceptaré con complacencia sobre mi altar" (Is 56, 7). Se habla de la *protección divina* sobre Israel —como está dicho: "No duerme ni descansa el guardián de Israel" (Sal 121, 4)— y se habla de la *protección divina* a los prosélitos, como está dicho: "YHWH guarda a los extranjeros" (Sal 146, 9).

Abrahán se llamó a sí mismo prosélito, según está dicho: "Extranjero y advenedizo soy yo entre vosotros" (Gn 23, 4). David se llamó a sí mismo prosélito, según está dicho: "soy un extranjero en la tierra" (Sal 119, 19). Y la Escritura dice: "Ante ti somos extranjeros y emigrantes igual que nuestros padres. Nuestros días sobre la tierra son como una sombra sin esperanza" (1 Cor 29, 15). Y dice también: "Pues soy un extranjero contigo, huésped tuyo como todos mis padres" (Sal 39, 13).

¡Cuán amados son los prosélitos, que por ellos Abrahán no se circuncidó sino a los noventa y nueve años! Pues si Abrahán se hubiera circuncidado a los veinte o treinta años, el prosélito no podría convertirse sino antes de los veinte o treinta años. Por esta razón el Omnipresente se demoró con él hasta que cumplió los noventa y nueve años: para no cerrar la puerta a los prosélitos que vinieren y para dar una recompensa en días y años y para aumentar la recompensa del que cumple su voluntad. Así se cumple lo que está dicho: "YHWH quiso, por razón de su justicia, *ensanchar* la Ley y glorificarla" (Is 42, 21). Y así, entre los cuatro grupos que responden alternándose en la presencia de Aquél que dice y el mundo existe, tú puedes identificar al que dice: "Yo soy YHWH" (Is 44, 5) —todo yo soy de YHWH y el pecado no se mezclará conmigo— y "el que se llamará con el nombre de Jacob" (ibid.) —éstos son los prosélitos de la justicia—, y "el que se tatúa en el brazo: de YHWH" (ibid.) —éstos son los conversos—, y "el que se apellidará con el nombre de Israel" (ibid.) —éstos son los temerosos del cielo—».

Mekilta de Rabbí Yismael, Neziqin 18, a Ex 22, 20.

b) Véase un segundo texto del midrás narrativo: *Los capítulos de Rabbí Eliezer* 12, 3. El midrasista al releer la creación de la primera pareja humana tropieza con el dato de que al hombre primero se le llamó *Adam;* pero cuando se creó la mujer (*'shh*) el hombre empezó a ser llamado *'ysh* (= «varón»). Escudriñando en la Biblia (= haciendo derás) sobre este cambio de nombre, el midrasista descubrirá una clave del matrimonio. La pieza se atribuye a R. Yehosúa ben Qorjah, maestro palestino del siglo II d.C. He aquí el texto:

«Mientras estuvo solo, su nombre fue Adam. R. Yehudah decía: "por la tierra (*'adamah*) de donde fue tomado, se le llamó Adam. R. Yehosúa ben Qorjah decía: Por razón de la carne y la sangre se le llamó Adam, pero desde que se le construyó la ayuda de la mujer (*'shh*) se le llamó "varón" (*'ysh*) y a ella "mujer" (*'shh*). ¿Cómo hizo el Santo, bendito sea? Puso su nombre de *YH* entre los nombres de ellos diciendo: Si camináis por mis caminos y guardáis mis preceptos, mi Nombre quedará intercalado en vuestros nombres y los salvará de cualquier desgracia; pero si no es así retiraré mi Nombre de ellos y los dos se convertirán en fuego (*'sh*); y el fuego devora al fuego, como está dicho: "Es fuego que devora hasta la destrucción" (Job 31, 12)».

Los capítulos de R. Eliezer 12, 3.

Esta interpretación derásica razona así: Adam, etimológicamente procedente de *'adamah* (=tierra) y asonante con *dam* (=sangre), es nombre que expresa la debilidad del hombre: carne y sangre. Por contra, *'ysh* (= varón) e *'shh* (= mujer), por cuanto llevan dos letras del Nombre divino (*YH*WH), son nombres que expresan la fuerza de Dios en la pareja. Suprimidas las dos letras divinas, tanto el varón como la mujer quedan reducidos a *'sh* (= fuego). La conclusión es que el matrimonio sin Dios se convierte en una especie de infierno.

NOTA BIBLIOGRAFICA

1) TARGUM: A. Díez Macho, *El Targum. Introducción a las traducciones aramaicas de la Biblia* (Madrid 1982); J. J. Ribera i Florit, *La exégesis rabínica postbíblica reflejada en la versión aramea de los profetas*, El Olivo 13 (1981) 61-85; A. Díez Macho, *Ms. Neophyti* (Madrid-Barcelona 1968-79).

2) MIDRAS: M. Pérez Fernández, *Los capítulos de Rabbí Eliezer* (Valencia 1984); G. Camps, *Midras,* en *Enciclopedia de la Biblia,* 2 ed. (Barcelona 1969), vol. V, cols. 129-34; G. Vermes, *Tradición Midrásica, ibid.* vol. V, cols. 134-39; D. Gonzalo Maeso, *Manual de historia de la literatura hebrea* (Madrid 1960) pp. 359-65.

EL JUDAISMO, SU FORMACION Y ESENCIA

por Carlos del Valle Rodriguez *

I.—LA LITERATURA MISNICO-TALMUDICA

En el primer postexilio (a partir del siglo v a.C.) se produce la coyuntura histórica que va a incidir decisivamente en la nueva toma de conciencia del pueblo hebreo, en la formación, en definitiva, de una nueva comprensión de su situación mundana. En virtud de un proceso que entonces se inaugura, la religión del antiguo Israel dará paso a la religión que se llamará *judaísmo rabínico*. El proceso, digo, se inaugura en el primer postexilio y se acelera y consolida en el segundo postexilio (tras la destrucción del Templo en el año 70 d.C. y tras la supresión definitiva del Estado de Israel en el año 135 d.C.). Difícil resulta empero determinar el momento en que se cierra el proceso, si es que se ha cerrado, por cuanto que, aunque los rasgos esenciales y tipificantes del judaísmo rabínico se estabilizan y determinan en el período inmediato siguiente al desastre nacional en el que cristaliza la literatura mísnica y talmúdica, sin embargo, los pensadores judíos medievales, como un Maimónides, o movimientos socio-religiosos, como los diferentes brotes místicos de la Edad Media y Moderna, o como el Sionismo de nuestro tiempo han contribuido notablemente a dar nuevas perspectivas al judaísmo.

La evolución producida va a ser profunda, pero en ningún caso va a haber traición a las antiguas esencias. El judaísmo rabínico, a pesar del cambio, será extremadamente fiel a las tradiciones básicas antiguas.

¿Cuáles fueron las circunstancias históricas que llevaron a Israel ¿

* Doctor en Filología Hebrea. Universidad Complutense de Madrid.

117

rectificar la marcha? El Antiguo Israel, como religión y como pueblo, definía su conciencia nacional como pueblo depositario de una tradición religiosa singular (pueblo escogido por Dios, pueblo al que Dios se había revelado y con el que había fijado una alianza cuyo signo era la Ley o *Torá*) y que tenía como símbolos de esta tradición peculiarísima los rollos de la Torá, el Templo (con su sacerdocio y sus sacrificios) e incluso la misma ciudad de Jerusalén.

1. LA TORÁ

Antes de continuar avanzando, hagamos una breve parada y fijémonos en este término —*Torá*— que es obligado en todo tratamiento del judaísmo. *Torá* es sinónimo de Ley y designa la revelación divina, plasmada primeramente por escrito en el Pentateuco. Luego, el término abrazará y se extenderá al resto de los libros sagrados, es decir, a los libros proféticos y a los hagiógrafos. Por último, el vocablo llegará a abarcar también a la revelación oral. Grabemos ahora de inmediato en la memoria el dato: la revelación la aprehende Israel como Ley —como Torá. Dato significativo.

Tras el exilio, la existencia de Israel como estado independiente queda abolida; (con los macabeos Israel logra todavía formar un estado independiente que solo durará hasta la entrada de Pompeyo en Jerusalén, en el 63 d.C.). El gran signo del pasado religioso de Israel, el Templo, es destruído y con él desaparecen todas las instituciones cultuales, el sacerdocio y los sacrificios. La misma ciudad de Jerusalén cae en manos extranjeras. A los exiliados sólo les queda un símbolo de su pasado y de su identidad nacional: *los rollos de la Torá.* Y sobre ellos se vuelcan haciendo de la Torá el centro de su piedad, el objetivo de sus estudios y desvelos, el símbolo de su identidad nacional. El signo del nuevo giro producido en el pueblo hebreo lo constituyen las sinagogas, casas de reunión para la lectura y estudio de la Torá y subsidiariamente para la plegaria y que surgen ya en esa época antigua. Entre los personajes más decisivos, de mayor influjo, en el cambio hay que contar al profeta Ezequiel.

La experiencia de la Torá fue tan profunda que aun cuando más tarde se restaura el Templo y se restablece el culto sacrificial y el sacerdocio, la Ley continuará siendo lo primario en Israel y cuando en el año 70 se destruye definitivamente el Templo y se suprime para siempre el culto de los sacrificios, los responsables religiosos no encontrarán mayores dificultades en el hallazgo del camino a seguir.

Un factor decisivo para la consolidación de la posición de la Torá fue la aparición del *movimiento de los escribas,* con Esdras a la cabeza, que implantan como ideal primario el estudio de la Ley y su aplicación a la vida. Surge así un cuerpo de entendidos, doctores de la Ley, los escribas, que anteponían la Torá al Templo, el conocimiento de la Ley a los sacrificios, el sabio al sacerdote. Suponía, por tanto, un desplazamiento de los antiguos poderes tradicionales ubicados en el Templo y en el sacerdocio. Nada extraño, pues, que el *escribismo* encontrara la enconada oposición del saduceísmo, clásico partido que representaba los intereses sacerdotales.

La pretensión del *escribismo* de hacer de la Ley norma viva de conducta se hace bien manifiesta en el comportamiento de Esdras que hizo de la Torá la ley del nuevo estado reinstaurado. *Cualquiera que no guarde puntualmente la Ley de tu Dios y la ley del rey será condenado a muerte, a destierro, a multa o a prisión* (Esd 7, 26). Se hace asimismo patente en el estudio e investigación de que se hace objeto y en su enseñanza. *Porque Esdras había dispuesto su corazón para investigar la Ley del Señor y enseñar en medio de Israel sus mandamientos y preceptos* (Esd 7, 10). En aquella lógica estableció Esdras dos días (lunes y miércoles) —los días del mercado— para la lectura regular pública de la Torá e introdujo una nueva escritura, la aramea, para facilitar la lectura.

Pero la aplicación del Libro, de la Torá, a la vida concreta y cotidiana comportaba, sin embargo, dificultades. Había leyes o normas de contenido e interpretación oscura que necesitaban investigación y comentario. Otras parecían contradecirse entre sí. Otras eran tan vagas y generales que quedaba cuestionada su aplicación práctica. Otras, debido a su propia naturaleza, estaban expuestas a fácil quebrantamiento.

2. La tarea de los escribas

Ante las dificultades, la tarea de los escribas se especifica y diversifica: a) investigan la Escritura y la comentan con un especial método de interpretación (*midras*); b) fijan los modos concretos de aplicación; c) dan normas suplementarias para hacer más difícil el quebrantamiento de los preceptos (*poner una valla a la Torá*); d) recogen las antiguas tradiciones que definían y concretaban el alcance de la Ley.

Conviene ilustrar con algunos ejemplos concretos la necesidad que había en ciertos casos de explicación y comentario de la ley. Así, por ejemplo en Dt 24, 1 se fija la posibilidad del divorcio a causa de *algo torpe* que el marido encontrase en la mujer. Sin embargo, la Ley no precisa qué ha de entenderse por ese *algo torpe,* constituyendo una grave laguna legislativa que ha de ser rellenada para que tenga efectividad. En la Torá se prescribe la circuncisión del niño varón el octavo día del nacimiento y se establece el reposo absoluto en día de sábado. De ahí que cuando el octavo día tras el nacimiento cae en sábado surge un conflicto que la Ley no plantea. En el relato de la creación se dice *hagamos al hombre a imagen y semejanza nuestra:* El texto emplea un plural que no se armoniza aparentemente con la unicidad divina. ¿Cóma habrá de entenderse?

Ha de quedar claro, para bien entender lo que pronto voy a decir, que existían con toda seguridad en esa época tradiciones que interpretaban el texto bíblico. En Ex 21, 9 se dice: *Si la ha destinado a su hijo, la tratará según la ley de las hijas.* Esa ley empero que regulaba la situación de las hijas no se halla en la Escritura; ha de presumirse, pues, que funcionaba de modo oral. En Dt 12, 21 se dice: *Si el lugar que el Señor, tu Dios, elija para poner en él su nombre está lejano, podrás matar el ganado mayor y menor que el Señor te dé, según lo que te he prescrito.* En la Torá, sin embargo, no aparece ninguna prescripción al respecto, por lo que hay que suponer que se refiere a una instrucción dada oralmente.

La Tradición oral

Un paso cualitativamente importante y decisivo para la configuración del futuro judaísmo fue el reconocimiento de la *tradición oral* como base normativa de la vida, atribuyéndole prácticamente la misma prestancia y categoría que a la Torá escrita. Responsables de esta nueva situación fueron seguramente los escribas. Que esto suponía una novedad se hace patente por la actitud de los saduceos que solo reconocían como normativa la ley escrita, el Pentateuco interpretado literalmente.

Pero es significativo que por tradición oral no solo se entiendan antiguas tradiciones que ciertamente se han ido transmitiendo por generaciones, algunas remontándose incluso a la época mosaica, sino también interpretaciones nuevas y disposiciones recientes. A los hombres de la Gran Asamblea —cuerpo legislativo que establece Esdras y funciona durante varias generaciones— se le atribuyen, por ejemplo, determinadas disposiciones, como la fijación del tenor de ciertas plegarias y bendiciones, el *quiddush* (santificación) al comienzo del Sábado y la *habdalá* (separación) al final del mismo, la observancia del *Purim,* la inclusión del libro de Ester en el canon, etc. y todo ello es tenido evidentemente como tradición.

La razón de considerar dentro de la tradición normas recientes, disposiciones novísimas, se debe a la particular conciencia que los escribas y doctores tenían de su trabajo. Ellos no pretendían en modo alguno innovar, modificar o rectificar, sino tan solo explicitar lo que no estaba más que implícito, deducir lo que únicamente estaba sobreentendido. El sabio, el entendido en la Torá, era considerado en un grado mayor al de profeta y así se explica que se permitiera interpretar la Torá con el resultado de que algunos preceptos asumían nueva forma y significado.

La fragilidad de la tradición como regla normativa de vida se hace evidente en las medidas que se arbitran para su protección y salvaguardia. Primeramente fueron los Hombres de la Gran Asamblea y los escribas los encargados de su custodia. Luego, cuando aquéllos desaparecen (principios del siglo III a.C. o del siglo II a.C.) y éstos pierden peso y el sanedrín es mayoritariamente hostil a la tradición oral, surgen los *pares,* parejas de sabios, los máximos responsables del Tribunal de Justicia que son acérrimos defensores de la tradición. El período de existencia de los *pares* se extiende por unos 150 años a partir del 160 a.C. Los dos últimos *pares* fueron singularmente célebres: Semayas y Abtalión, Hillel y Sammay. Pero en esta época el grupo fariseo, paladín de la Ley oral y cuyo ideal era la observancia puntillosa de las enseñanzas de los escribas, adquiere fuerza y supremacía en el Sanedrín y la institución de los *pares* cae en desuso.

Dentro de los escribas o de los doctores, un grupo se encarga de modo específico del trabajo de recogida y transmisión de la tradición. Son los *tannas* o *tannaítas,* los repetidores, según el término arameo. Son seis las generaciones de *tannaítas* que se cuentan, desde el año 10 d.C. hasta el 220. Los anteriores, desde el 200 a.C. el 10 de Cristo son llamados *pretannaítas.* En rigor solo los maestros nombrados en la Misná, unos ciento cincuenta, son los llamados *tannaítas.* El título dado a estos maestros era el de *Rabbí* (mi maestro).

Entre las tradiciones, unas tenían carácter legal, esto es, obligaban a su observancia y otras tenían un carácter puramente instructivo, en el sentido más amplio y genérico. Las primeras fueron llamadas *halaká* (camino, norma de conducta) y las segundas *hagadá* (narración). Unas y otras pueden ir acompañadas del soporte bíblico que las fundamenta y legitima. En este caso serán llamadas *midrás-halaká* (exégesis con decisión legal) y *midrás-hagadá* (exégesis no comentario no legal). La *Misná* será una colección de solo *halakot* con poquísimos elementos *hagádicos*. Por el contrario otras colecciones, como las de *midrasim*, harán prevalecer masivamente el carácter hagádico.

Cuando el cuerpo de la tradición se hizo voluminoso se impuso la tarea de organizarlo, entre otros menesteres para facilitar su memorización. En un primer momento se utilizan para tal fin criterios puramente formales, como organizar los *halakot* según los maestros que los formulan o por una circunstancia externa común, tal como la misma fórmula inicial. Al primero al que las fuentes atribuyen una reorganización del material tradicional es R. Aqiba (ca. 50-135 d.C.). Aqiba acometió en primer lugar la tarea de la ordenación del material *haláquico*, vasto y disperso, agrupándolo por temas (diezmos, fiestas litúrgicas, derecho matrimonial, culto...). Parece ser que incluso llegó a dividirlo en los seis órdenes que más tarde introducirá R. Judá el Príncipe en la *Misná*. El alcance exacto de su ordenación no puede ser conocido ya que su colección fue reelaborada más tarde por su discípulo, R. Meír y fue ésta la que pasó prácticamente íntegra a la colección de R. Judá el Príncipe. Otro trabajo importante que las fuentes atribuyen a R. Aqiba fue el de buscar soporte bíblico a los *halakot*. Para ello se sirvió de una exégesis particular que tenía por justificado ver en cualquier detalle de la Torá, la mínima partícula, el exponente de un misterio profundo, suscitando la oposición de su contemporáneo, R. Ismael, para quien la Torá hablaba el lenguaje del hombre.

La Misná

R. Judá el Príncipe, llamado *Rabbí* por antonomasia, fue el responsable de la colección que alcanzó prácticamente de inmediato valor normativo, la *Misná* (hacia el año 200 d.C.). Cuál fue su contribución particular en su redacción y organización es objeto de controversia. Lo que sí es evidente que él, en cuanto Patriarca y Presidente del Tribunal, ejerció decisivo influjo en su reconocimiento y aceptación como normativa. Hasta tal punto adquirió la colección de Rabbí carácter autoritario, con toda rapidez, que otras colecciones, del mismo tenor y época, como la *baraíta* y la *tosefta,* quedaron fuera y no obtuvieron igual reconocimiento.

La forma actual de la *Misná* no puede proceder, sin embargo, tal cual, de las manos de R. Judá. Las alusiones o referencias laudatorias a Rabbí y sus hijos, sus propias sentencias o las de sus contemporáneos, la citación de autoridades posteriores al propio Rabbí, como Rabán Gamaliel III, muestran que ha habido adiciones posteriores. Lo que no estamos en grado todavía de solventar es si las adiciones posteriores han supuesto un retoque o modificación de la primitiva redacción de R. Judá.

Hay que dejar en claro que la *Misná* no es en sí misma un código legal. Lejos estaría de un código el referir opiniones y sentencias contrarias, informar de disputas, dejar sin zanjar controversias. El propósito que animó a R. Judá en su compilación fue el de proporcionar a los maestros los elementos suficientes para encontrar la decisión legal. En realidad, en muchos de los *halakot* o *misnayot* va incluida ya la decisión legal, como todos aquéllos que se presentan anónimos o los que se introducen con la fórmula *los sabios dicen,* tales *halakot* son los que han de ser seguidos.

Uno de los problemas que se plantean en torno a la *Misná* de R. Judá el Príncipe, es si su redacción incluyó su pase a escrito. La razón de suscitar este problema se debe a la existencia de un precepto prohibiendo pasar a escrito la tradición oral. Son diversas y contrarias las opiniones. Bajo un aspecto crítico parece más razonable que un material tan vasto como el mísnico se pasara a escrito, aunque sólo fuera para el uso privado. Tenemos evidencia en efecto que existieron tales notas, apuntes o redacciones escritas para uso privado. Aunque el *tannaíta* era un auténtico libro viviente como dijo Lieberman, nada obsta para que dispusiera de sus rollos o cuadernos privados.

La palabra *Misná* (*misná:* enseñanza, repetición) no desvela en sí misma la condición o peculiaridad de la compilación, sino el arte y modo con que se transmitía la tradición, esto es, la repetición. (En hebreo, *shaná* es repetir y, por derivación, enseñar). De un *tanna* se dice que en una ocasión repitió cuatrocientas veces una *halaká* a un discípulo. Así, a base de repetición, se grababa la tradición en la memoria y se transmitía de generación en generación.

El Talmud

La *Misná* de R. Judá adquirió de inmediato valor normativo y se puso en seguida como objeto del estudio en las escuelas rabínicas de Palestina y Babilonia. En la *Misná* había muchas leyes obsoletas, como las del culto, que como tal, no ofrecían dificultad. Pero había otras, en cambio, que entrañaban oscuridad o que habían quedado desfasadas por la vida. De ahí que necesitaran de nuevo aclaración y comentario. Los doctores que hacen el comentario, ahora de la *Misná*, serán llamados *amoraítas* y el cuerpo de doctrina que resulta de la interpretación o comentario *Guemara* (complementación) que justamente con la *Misná* forma el *Talmud* (enseñanza), esto es, la enseñanza, la doctrina por excelencia del judaísmo rabínico. Como dos fueron los comentarios ,uno hecho por las escuelas judías de Palestina y otro por las escuelas judías de Babilonia, dos fueron las *Guemaras* y dos fueron por consiguiente los *Talmudes,* el Talmud palestino y el Talmud babilónico.

El *Talmud palestino* está más pensado para los maestros que para los discípulos y por eso es más escueto, más sintético y mucho más breve que el *Talmud babilónico.* La brevedad de éste se debe también a que el tiempo de la confección de su *Guemara* fue más breve. Las escuelas palestinas de Tiberias, Séforis y Lidda desaparecen a finales del siglo IV a consecuencia de las confrontaciones del imperio romano con los judíos y, de ese modo, acaba el proceso de clarificación de la *Misná*. En cambio, en Babilonia este proceso se alarga casi hasta comienzos del siglo VI siendo los principales artífices R. Ashi (375-427) y Rabina (m. 499). El resultado final fue que el Talmud babilónico fuera el mejor elaborado y estructurado, a parte del más extenso. De ahí que fuera éste, y no el palestino, el que adquiriera pronto en el judaísmo carácter autoritativo relegando a un plano secundario al Talmud palestino.

Quien puso los fundamentos del Talmud palestino, llamado también indebidamente jerosolimitano, fue R. Yojanán Ben Napaja (murió el 280) y quien le dio forma final fue R. Yosé Ben Bun, que terminó su obra hacia el año 375. El comentario se extiende a los cuatro primeros órdenes mísnicos y a parte de un tratado del orden sexto.

En la literatura mísnico-talmúdica se ha dado expresión a una concepción del judaísmo, cuyas bases se pusieron en el primer postexilio y fueron solidificadas tras el desastre nacional del 70 y del 135 de nuestra era. En esta última ocasión con la participación importante de R. Yojanán Ben Zakay. Puede decirse en términos de lenguaje moderno que la literatura mísnico-talmúdica es el acta de constitución del judaísmo rabínico, centrado en la Torá, tal como viene interpretada por la tradición. Otros tipos o concepciones del judaísmo, tal como el representado por el saduceísmo que no daba validez a la tradición oral o el reflejado por los grupos apocalípticos, carismáticos y antinómicos, que abundaron en el período intertestamentario, desaparecen tras la confrontación que se produce después del desastre nacional del 70. Sólo el judaísmo rabínico, nomista, sale vencedor tras la confrontación, robustecido en el Concilio de Yamnia (hacia el 90). El asentamiento de esta manera de ver el judaísmo fue tan firme que en el decurso de los siglos siguientes, si se hace excepción del grupo minoritario caraíta que renovó en parte los ideales del saduceísmo, los fundamentos del judaísmo rabínico permanecieron inconmovibles hasta la entrada misma de la edad contemporánea. Las ideas de la ilustración y los ideales de la emancipación llevaron a diversos grupos judíos a una ruptura con la tradición rabínica. La autoridad del Talmud fue denegada (*judaísmo reformado*). Contra la reforma reaccionó la nueva ortodoxia (*judaísmo ortodoxo*), escrupulosamente fiel al legado del pasado. Un movimiento de equilibrio entre ambos grupos, aceptando lo fundamental de la tradición rabínica, pero admitiendo ciertas innovaciones menores, constituye el *judaísmo conservador*. Reformados (liberales), conservadores y ortodoxos son los tres grupos principales del judaísmo contemporáneo.

II. LA CARACTERIZACION DEL JUDAISMO

Una vez que hemos examinado el marco histórico y literario en el que judaísmo rabínico surge, aparece y se consolida, conviene trazar ahora, de modo somero, los rasgos básicos que lo caracterizan.

1. Abolicion de la dicotomia sacro-profano

En primer lugar, el judaísmo rabínico ha superado definitivamente la dicotomía de lo sacro-profano, que en la época del Templo se había ido agudizando y había dado como resultado un complicado sistema de normas para evitar el contacto con lo sagrado. No se puede distinguir en él un área de lo sagrado y otra área de lo profano. Todo, absolutamente todo, está dentro de la normalidad cotidiana. La Torá es patrimonio de todos, del laico. El rabino no es ningún sacerdote, sino un laico más, un laico entendido en la Torá. La relación con Dios no es a través de un mediador, el sacerdote, sino de modo directo, en un saber conformarse a las normas de la Ley. Todo el ámbito de desarrollo del judaísmo se efectúa dentro de una conciencia laica.

Pero también cabría una interpretación justamente contraria, a saber, que el judaísmo, al romper la dicotomía de lo sagrado-profano, ha convertido todo, incluso los actos más banales y elementales de la existencia, como podría ser el comer, o el acostarse, o el alzarse, en actos sagrados, vida consagrada. Aquí no quedaría ni un solo resquicio, ni el mínimo vano, para lo profano. Todo, absolutamente todo, quedaría bajo el ámbito de lo religioso.

¿Cuál de las dos interpretaciones es la exacta? Yo diría que bajo un aspecto teológico la segunda es la exacta. Al quedar prácticamente todos los ámbitos de la vida bajo la acción de la Torá, todo recibe —en la raíz— el carácter transcendente. Pero, bajo un aspecto sicológico, al no haber diferenciación entre ámbitos sagrados y profanos, todo queda sumido en la normalidad imperante, todo queda dentro de la esfera de lo laico.

Debido a esta consideración, a que el judaísmo no se realiza en un ámbito fuera de la normalidad profana, no es una religión en el sentido ordinario de la palabra y algunos hablan de él como de una *no-religión*, faltos de mejor término. Pero no se ha de olvidar que el judaísmo no es un mero sistema ético. Toda su razón de ser está basada en su monoteísmo religioso y en la creencia de la presencia divina en la historia.

2. Predominio de la accion

En segundo lugar, es característico del judaísmo el predominio de la acción. El judaísmo no es ningún sistema filosófico ni teológico ni una creencia ni una fe que aceptándola dé la salvación. No hay en él verdades definitivas e inapelables, dogmas inmutables, catecismo obligado que ha de ser aceptado y, por consiguiente, ni ortodoxia ni heterodoxia. Lo definitivo en él es la acción, la vida conforme a una norma o un precepto. De ahí que Moisés Mendelsohn (1729-1786) llegara a decir que *el judaísmo no es una religión revelada sino una legislación divinamente revelada. Entre todos los preceptos y ordenaciones de la ley mosaica* —escribía— *ninguno dice: habrás de creer o no habrás de creer, sino que todos ordenan: harás o no harás.*

Es verdad que el judaísmo carece de dogmas en sentido riguroso, ya que no dispone de la estructura adecuada para ello, esto es, de autoridad infalible. Pero también es cierto que toda su razón de ser se basa en un conjunto de creencias religiosas firmes, creencias que en los momentos de confrontación se ha tratado de definir. Entre estas definiciones, la que más consenso ha suscitado es probablemente el credo de Maimónides, con trece artículos de fe. Los cinco primeros se refieren a Dios y afirman su 1) existencia, 2) unidad, 3) incorporalidad, 4) eternidad, y 5) su exclusiva adoración. Los cuatro siguientes se relacionan con la revelación: 6) realidad de la profecía, 7) supremacía de Moisés sobre cualquier otro profeta, 8) revelación de la Ley y que la Ley, tal cual se contiene en el Pentateuco, ha sido revelada a Moisés, 8) inmutabilidad de la Ley revelada. Los cuatro finales se refieren a contenidos de revelación: 10) omnisciencia y providencia divina, 11) remuneración y castigo en este mundo y en el futuro, 12) venida del Mesías y 13) resurrección de los muertos.

El credo maimonista ha suscitado, como hemos dicho, un gran consenso. Prácticamente todas las corrientes del judaísmo lo asumen y acogen. Sin embargo, la interpretación que se hace de cada uno de los artículos pueden ser muy variada.

3. SUPERACION DEL TEMA MESIANICO

Consecuencia de esta segunda característica, es otra, tercera, la predilección del judaísmo por lo concreto religioso y la relegación a un segundo plano de todo aquello que se refiere al mundo escatológico o venidero. Derivación de esta actitud es la superación definitiva del tema mesiánico, que en algunos momentos históricos se convirtió en tema absorbente y amenazaba con transferir las metas finales del obrar humano a un plano de tensión escatológica y apocalíptica. El judaísmo estima que la realización del hombre en el plano terrestre, mundano e histórico, tiene pleno sentido, aún en el supuesto de que no hubiera vida futura. Las consecuencias para tonificar la vida y determinar una posición ante ella son importantes. Resultado de la misma actitud es la suspicacia, recelo e incluso rechazo de cualquier movimiento místico que se coloca fuera de la normalidad cotidiana, regida por la Torá.

La concepción del mesías ha ido variando con los tiempos. En el pensamiento tradicional se trataba de una persona humana, de gran poder, en ningún modo divina, descendiente de David. Desde el siglo pasado, en ambientes no ortodoxos, se pone más el acento en una era mesiánica y se rechaza la doctrina de la persona mesiánica que tiene aspectos de magia. Pero incluso en áreas estrictamente ortodoxas se pone hoy énfasis en la necesidad de una redención total del cosmos que podría ocurrir a través de la acción del hombre, pero siempre con la intervención explícita de Dios en la historia. En cualquier caso, el judaísmo expresa su fe en un Dios que no abandonará nunca el mundo al caos y en que la humanidad encontrará un día su redención en esta tierra.

4. Vinculacion a una tierra

Pero en el judaísmo hay un elemento que le da una configuración propia en relación con las otras religiones, es su vinculación a una tierra, a la tierra de Israel o Palestina y muy singularmente a Jerusalén. Dentro del judaísmo hay sin duda judíos que rechazan cualquier nexo esencial entre ser judío y tierra de Israel. Sin embargo, desde una perspectiva interna del judaísmo y desde una visión histórica ese vínculo no puede ser negado. No se trata de derechos históricos que hayan manado por una presencia judía secular en aquella tierra. Se trata de una convicción profunda de que Dios escogió a ese pueblo, el pueblo judío, para aquella tierra, Palestina, y de que Dios destinó aquella tierra, Palestina, para aquel pueblo, el judío. Muchos de los preceptos de la Ley judía llevan condicionado su cumplimiento a la tierra de Palestina. De modo consecuente, durante todos los períodos históricos ha habido un peregrinaje judío ininterrumpido a Jerusalén y a los Santos Lugares, en muchos casos para fijar allí su residencia. El movente de la emigración no sólo era piedad o sentimiento, sino la aprehensión del nexo vital que une al judaísmo con aquella tierra. Esa vinculación da al judaísmo una coloración local, incluso étnica, que contrasta, pero que no se opone, al universalismo de una religión.

5. LA LEY

La vida del creyente judío está marcada por la Ley, la Ley expresada en la revelación (Pentateuco) y tal cual ha sido entendida por la Tradición. Pero hay que tener en cuenta que esa Ley se concretiza según una interpretación muy antigua en 613 preceptos, 365 negativos y 248 positivos. El número es aparentemente enorme. Sin embargo, en la práctica no son tantos los preceptos, ya que muchos están en suspense en tanto perdure la destrucción del templo, y la abolición del culto y sacerdocio. De todos modos, son todavía muchos los preceptos y puede aparecer el judaísmo como un puro legalismo, donde el movente final es la obediencia, la ciega obediencia. La amenaza del puro formalismo indudablemente existe. Pero desde siempre han existido en el judaísmo llamadas al interiorismo, a la religión del corazón y del espíritu. Lo hicieron los profetas, lo hizo Jesús, lo hicieron tantos rabinos. En la misma *Misná* se encuentran varios lugares donde se dice que cuando se imponen las circunstancias el precepto se ejecuta en el *corazón.*

Ciertamente el judaísmo, bajo un determinado aspecto, se presenta como una legislación que parece regular todos los campos de la vida, incluso los mínimos y más banales. La conducta del creyente judío estaría determinada por el precepto. Pero dado que la vida es cambiante y que surgen situaciones nuevas distintas, resultaría que en la vida de los individuos habría siempre auténticas lagunas, verdaderos vacíos, fuera del alcance de la Ley. Sería precisamente en esos *huecos,* en esos vanos legales, donde el judío por acumulación de buenas obras extras podría acrecentar el acervo de los méritos. Una concepción tal del judaísmo es, sin embargo, falsa. En él existen normas, como la formulada por R. Hilel: *lo que no quieras para ti, no lo quieras para los demás,* o como la de R. Aqiba: *ama a tu prójimo como a ti mismo,* que llenan suficientemente una vida y hacen ilusorio cualquier vano o cualquier resquicio fuera de la norma moral.

El verdadero alcance de una vida conforme al precepto se marca en el judaísmo a través de una liturgia y de un ritual que, al mismo tiempo que van señalando la sucesión de los tiempos y los jalones de la vida del individuo y de la comunidad, sirven para rememorar el pasado y abrir una perspectiva de esperanza al presente. Circuncisión, sábado, oficios sinagogales, fiestas... han de traer al hombre judío creyente la conciencia de ser un eslabón en una larga cadena de intervenciones divinas en la historia. La liturgia judía es en definitiva recuerdo y misterio, recuerdo de un pasado que se prolonga en la vida actual de cada judío y de toda la comunidad.

El judaísmo ha sido presentado en el pasado, y probablemente continúe siendo presentado todavía hoy en determinados ambientes, como la religión de la venganza. Esta apreciación es verdaderamente injusta. Uno de sus más grandes maestros, R. Aqiba, creía ver concentrada la esencia de la Ley en la máxima *ama a tu prójimo como a ti mismo*. Y resulta claro por muchos lugares del Talmud que el prójimo no es sólo el judío, sino cualquier hombre, cualquier ser humano, ya que el fundamento del amor al prójimo se pone en la *semejanza a Dios* y eso es propio de todos los hombres. La famosa *ley del talión* (ojo por ojo, diente por diente), que ha servido de símbolo del supuesto odio o espíritu de venganza del judaísmo, ha sido falsamente interpretada. El ambiente en el que ha de ser entendido el célebre dicho bíblico es el de la reparación. Ojo por ojo, diente por diente, esto es, la reparación del daño ha de pender de la gravedad del mal inferido. Lejos, por tanto, del significado de venganza.

NOTA BIBLIOGRAFICA

C. del Valle Rodríguez, *El Mundo Judío. Historia, religión, cultura* (Madrid 1976); Id., *La Misná* (Madrid 1981); I. Epstein, *Judaism. A Historical Presentation* (Londres 1959); H. J. Schoeps, *Die Religion der Juden,* en *Judentum, Schiksal, Wesen und Gegenwart,* ed. F. Boehme - W. Dirks (Wiesbaden 1965); F. Joannes, *L'Ebraismo* (Milán 1983).

INDICE